하루 한 장 75일

완성

# 교과 연산

# F1

초6 분수와 소수의 나눗셈

## 변화를 정확히 이해해야 합니다.

수학의 기본이면서 이제는 필수가 된 연산 학습, 그런데 왜 우리 아이들은 많은 학습지를 풀고도 학교에 가면 연산 문제를 해결하지 못할까요?
지금 우리 아이들이 학습하는 교과서는 과거와는 많이 다릅니다. 단순 계산력을 확인하는 문제 대신 다양한 상황을 제시하고 상황에 맞게 문제를 해결하는 과정을 평가합니다. 그래서 단순히 계산하여 답을 내는 것보다 문장을 이해하고 상황을 판단하여 스스로 식을 세우고 문제를 해결하는 복합적인 사고 과정이 필요합니다.
그림을 보고 상황을 판단하는 능력, 그림을 보고 상황을 말로 표현하는 능력, 문장을 이해하는 능력 등 상황 판단 능력을 길러야 하는 이유입니다.

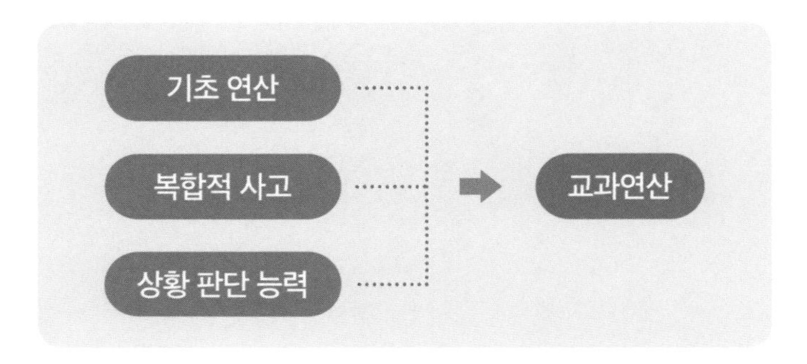


연산 원리를 학습함에 있어서도 대표적인 하나의 풀이 방법을 공식처럼 외우기만 해서는 지금의 연산 문제를 해결하기 어렵습니다. 연산 학습과 함께 다양한 방법으로 수를 분해하고 결합하는 과정, 즉 수 자체에 대한 학습도 병행되어야 합니다.
교과연산은 연산 학습과 함께 수 자체를 온전히 학습할 수 있도록 단계마다 '수특강'을 구성하고 있습니다.
계산은 문제를 해결하는 하나의 과정으로서의 의미가 큽니다.

학교에서 배우게 될 내용과 직접적으로 관련이 있는 교과연산으로 가장 먼저 시작하기를 추천드립니다.
요즘 연산은 교과 연산입니다.

**"계산은 그 자체가 목적이 아닙니다. 문제를 해결하는 하나의 과정입니다."**

## 하루 **한** 장, **75**일에 완성하는 **교과연산**

한 단계는 총 4권으로 수를 학습하는 0권과 연산을 학습하는 1권, 2권, 3권으로 구성되어 있습니다.

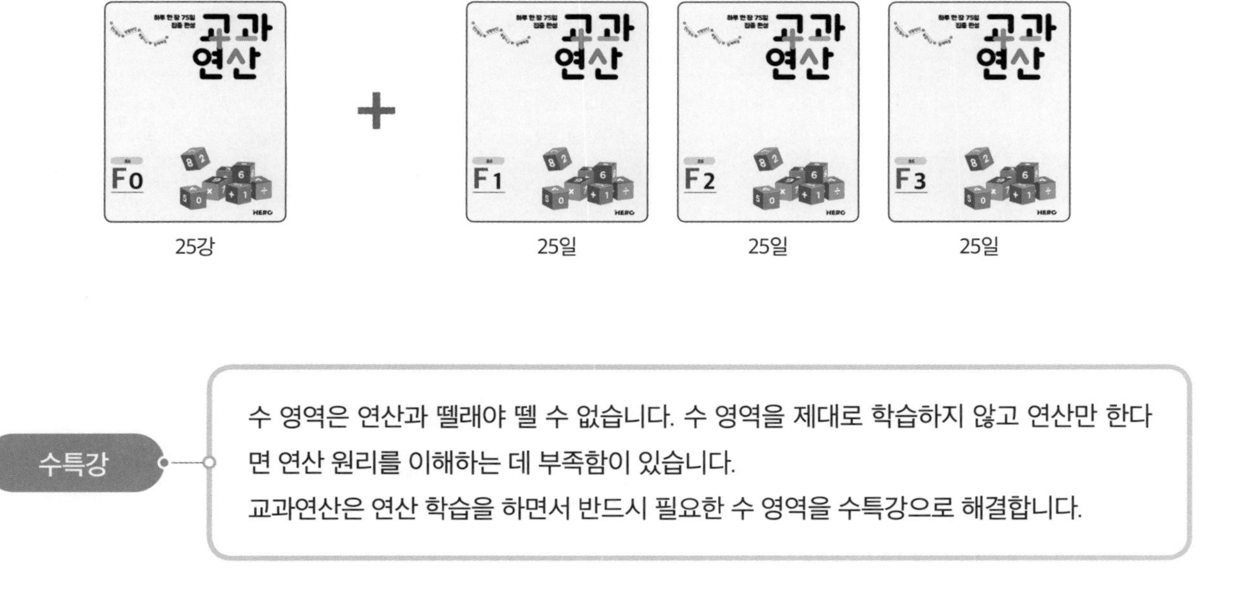


**수특강**

수 영역은 연산과 뗄래야 뗄 수 없습니다. 수 영역을 제대로 학습하지 않고 연산만 한다면 연산 원리를 이해하는 데 부족함이 있습니다.
교과연산은 연산 학습을 하면서 반드시 필요한 수 영역을 수특강으로 해결합니다.

**교과연산**

기초 연산도 합니다. 연산 원리를 이해하고 계산 연습도 합니다. 그에 더해서 교과연산은 다양한 상황 문제를 제시하여 상황에 맞는 식을 세우고 문제를 해결하는 상황 판단 능력을 길러줍니다.

**“연산을 이해하기 위해서는 수를 먼저 이해해야 합니다.”**

# **원리**는 **기본, 복합적 사고 문제**까지 다루는 **교과연산**

**원리**

수와 연산의 원리를
이해하고 연습합니다.

**복합적 사고**

연산 원리를 이용하여
다양한 소재의 복합적
문제를 해결합니다.

**상황 판단 문제**

문장 이해력을 기르고
상황에 맞는 식을 세워
문제를 해결합니다.

빈칸에 알맞은 수 또는 말을 써넣으세요.

3 1 5 6 4 2

순서수와 수 카드에 적힌 수를 잘 구분합니다.

[체크 박스]
문제를 해결하는 데 도움이
되는 방향을 제시합니다.

★ 100

100 백

99보다 1 큰 수를 100이라고 합니다.
100은 백이라고 읽습니다.

[개념 포인트]
꼭 필요한 기본 개념을
설명합니다.

"교과연산은 꼬이고 꼬인 어려운 연산이 아닙니다.
일상 생활 속에서 상황을 판단하는 능력을 길러주는 연산입니다."

# 하루 **한** 장, **75**일 집중 완성 교과연산 **묻고 답하기**

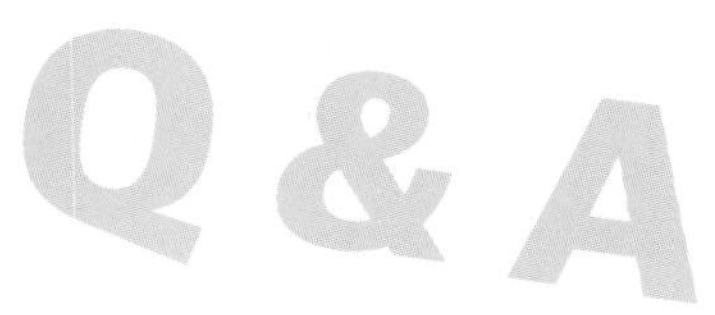


### Q1 왜 교과연산인가요?

지금의 교과서는 과거의 교과서와는 많이 다릅니다. 하지만 아쉽게도 기존의 연산학습지는 과거의 연산 학습 방법을 그대로 답습하고 변화를 제대로 반영하지 못하고 있습니다. 교과연산은 교과서의 변화를 정확히 이해하고 체계적으로 학습을 할 수 있도록 안내합니다.

### Q2 다른 연산 교재와 어떻게 다른가요?

교과연산은 변화된 교과서의 핵심 내용인 상황 판단 능력과 복합적 사고력을 길러주는 최신 연산 프로그램입니다. 또한 연산 학습의 바탕이 되는 '수'를 수특강으로 다루고 있어 수학의 기본이 되는 연산학습을 체계적으로 학습할 수 있습니다.

### Q3 학교 진도와는 맞나요?

네, 교과연산은 학교 수업 진도와 최신 개정된 교과 단원에 맞추어 개발하였습니다.

### Q4 단계 선택은 어떻게 해야 할까요?

권장 연령의 학습을 추천합니다.
다만, 처음 교과 연산을 시작하는 학생이라면 한 단계 낮추어 시작하는 것도 좋습니다.

### Q5 '수특강'을 먼저 해야 하나요?

'수특강'을 가장 먼저 학습하는 것을 권장합니다. P단계를 예로 들어보면 P0(수특강)을 먼저 학습한 후 차례대로 P1~P3 학습을 진행합니다. '수특강'은 각 단계의 연산 원리와 개념을 정확하게 이해하고 상황 문제를 해결하는 데 디딤돌이 되어줄 것입니다.

# 이 책의 차례

01일~05일

# 1주차 (분수)÷(자연수)

# 01 수직선으로 나타내기

일

수직선을 이용하여 몫을 구해 보세요.

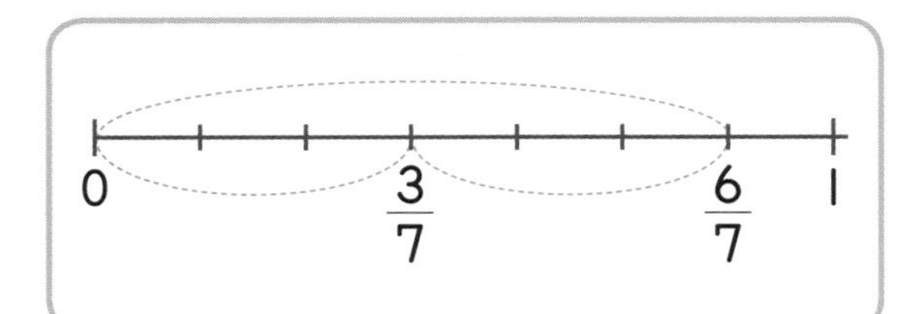


$\frac{6}{7} \div 2 = \frac{\square}{7}$

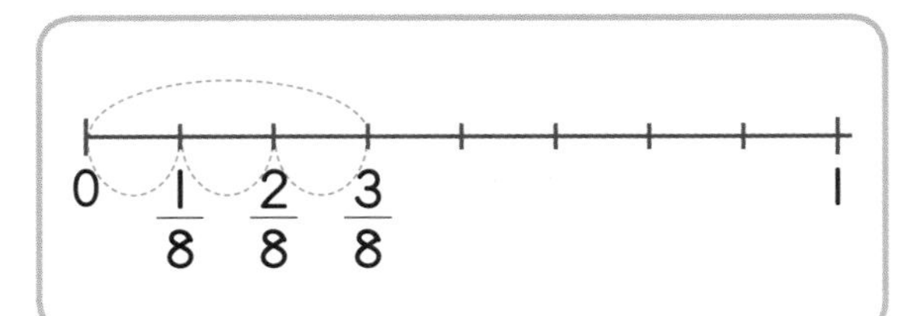


$\frac{3}{8} \div 3 = \frac{\square}{8}$

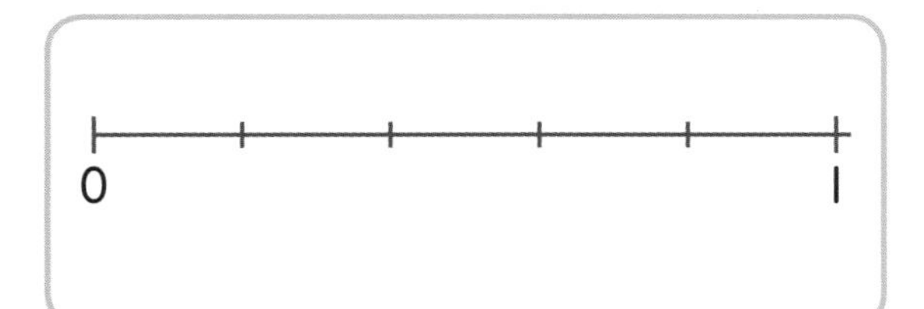


$\frac{4}{5} \div 2 = \frac{\square}{\square}$

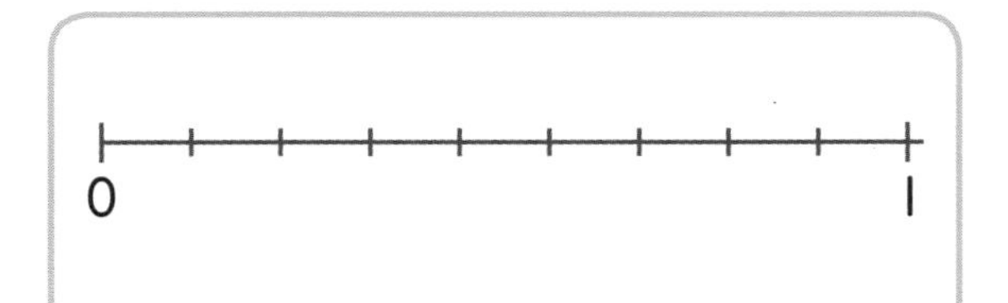


$\frac{8}{9} \div 4 = \frac{\square}{\square}$

★ (분수)÷(자연수) (1)

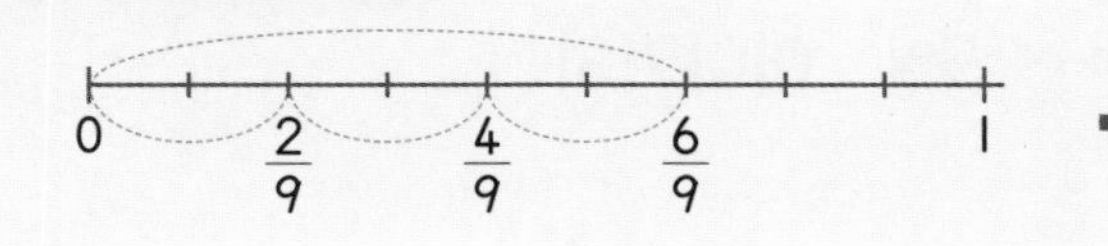


➡ $\frac{6}{9} \div 3 = \frac{6 \div 3}{9} = \frac{2}{9}$

$6 \div 3 = 2$ (6을 3등분한 것 중 하나)

$\frac{6}{9} \div 3 = \frac{2}{9}$ ($\frac{6}{9}$을 3등분한 것 중 하나)

➡ $\frac{6}{9}$은 $\frac{1}{9}$이 6개입니다. 6개를 3으로 나누면 $\frac{1}{9}$이 2개이므로 $\frac{6}{9} \div 3 = \frac{2}{9}$입니다.

다음과 같이 분자를 자연수로 나누어 계산해 보세요.

$\frac{4}{7} \div 2 = \frac{4 \div 2}{7} = \frac{2}{7}$

$\frac{9}{10} \div 3 = \frac{9 \div \square}{10} = \frac{\square}{10}$

$\frac{5}{6} \div 5 = \frac{5 \div \square}{6} = \frac{\square}{6}$

$\frac{14}{15} \div 7 = \frac{14 \div \square}{15} = \frac{\square}{15}$

$\frac{4}{9} \div 2 = \frac{\square \div 2}{9} = \frac{\square}{\square}$

$\frac{12}{17} \div 6 = \frac{\square \div 6}{17} = \frac{\square}{\square}$

$\frac{6}{7} \div 3$

$\frac{8}{13} \div 4$

$\frac{10}{11} \div 5$

$\frac{9}{14} \div 3$

# 그림으로 나타내기

그림으로 나타내고, 몫을 구해 보세요.

$\frac{1}{2} \div 3 = \frac{\square}{6}$

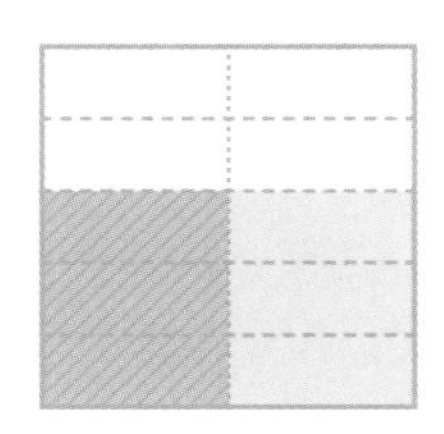

$\frac{3}{5} \div 2 = \frac{\square}{10}$

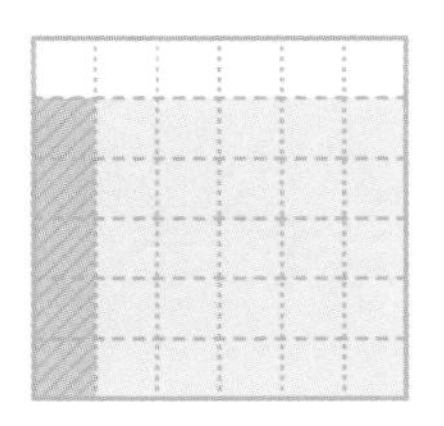

$\frac{5}{6} \div 6 = \frac{\square}{36}$

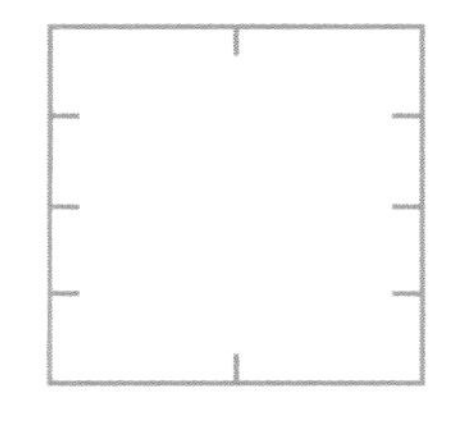

$\frac{1}{4} \div 2 = \frac{\square}{\square}$

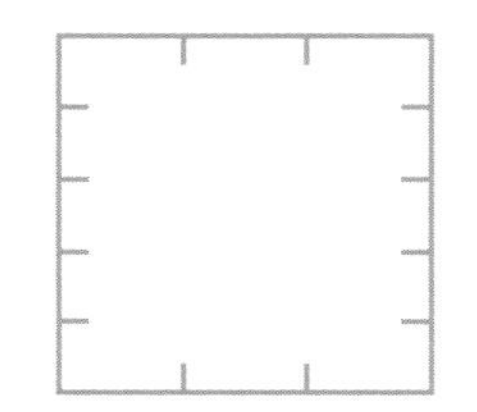

$\frac{4}{5} \div 3 = \frac{\square}{\square}$

$\frac{5}{7} \div 4 = \frac{\square}{\square}$

★ (분수)÷(자연수) (2)

$\frac{5}{6} = \frac{5 \times 3}{6 \times 3} = \frac{15}{18}$ ➡ 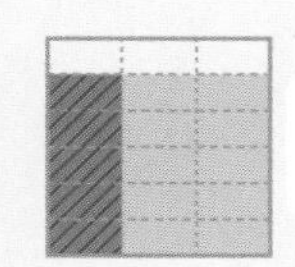 $\frac{5}{6} \div 3 = \frac{15}{18} \div 3$

$$\frac{5}{6} \div 3 = \frac{15}{18} \div 3 = \frac{15 \div 3}{18} = \frac{5}{18}$$

$\frac{5}{6} \div 3$에서 5는 3으로 나누어떨어지지 않으므로 5를 3의 배수로 바꾸어 몫을 구할 수 있습니다.

월 일

다음과 같이 분자를 자연수의 배수로 나타내어 계산해 보세요.

$\frac{3}{5} \div 4 = \frac{12}{20} \div 4 = \frac{12 \div 4}{20} = \frac{3}{20}$

분자 3을 4의 배수인 12로 나타냅니다.

$\frac{1}{4} \div 3 = \frac{\square}{12} \div 3 = \frac{\square \div 3}{12} = \frac{\square}{12}$

$\frac{7}{8} \div 5 = \frac{\square}{40} \div 5 = \frac{\square \div \square}{40} = \frac{\square}{\square}$

$\frac{9}{11} \div 8 = \frac{\square}{88} \div \square = \frac{\square \div \square}{88} = \frac{\square}{\square}$

$\frac{2}{7} \div 7$

$\frac{4}{9} \div 5$

# 곱셈으로 나타내기

빈칸에 알맞은 수를 써넣으세요.

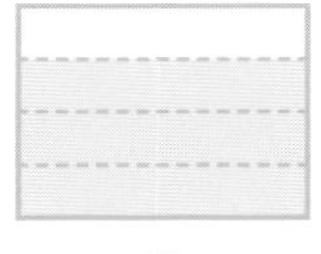

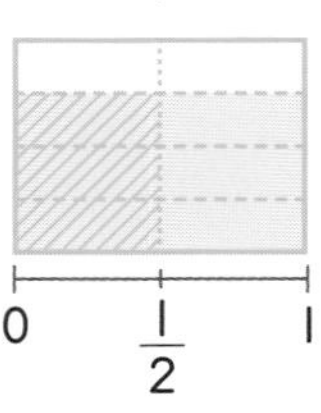


$\frac{3}{4}\div 2$의 몫은 $\frac{3}{4}$을 2등분한 것 중의 하나이므로 $\frac{3}{4}$의 $\frac{1}{2}$입니다.

따라서 $\frac{3}{4}\div 2=\frac{3}{4}\times\frac{\square}{\square}=\frac{\square}{\square}$입니다.

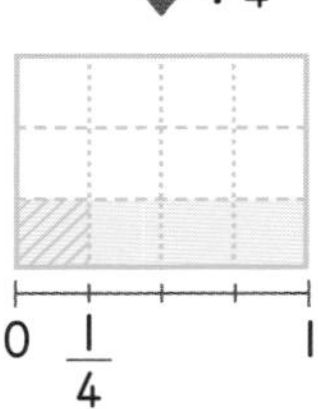


$\frac{1}{3}\div 4$의 몫은 $\frac{1}{3}$을 4등분한 것 중의 하나이므로 $\frac{1}{3}$의 $\frac{\square}{\square}$입니다.

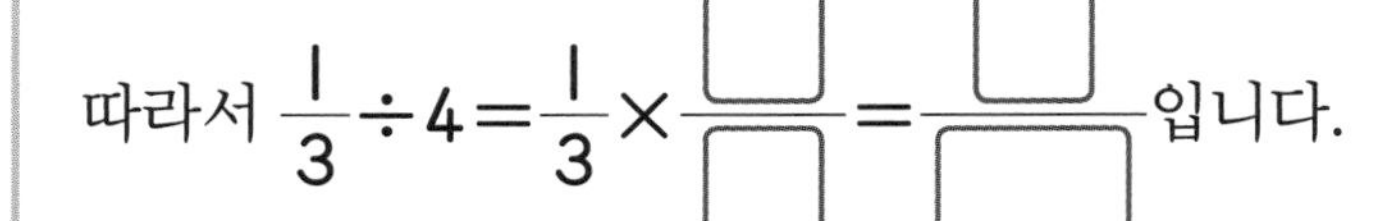

따라서 $\frac{1}{3}\div 4=\frac{1}{3}\times\frac{\square}{\square}=\frac{\square}{\square}$입니다.

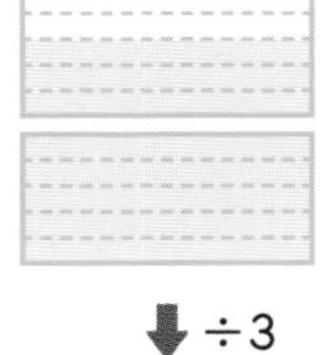

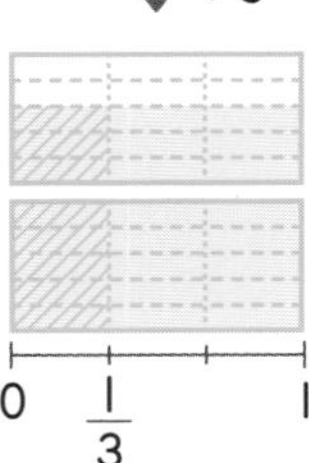


$\frac{8}{5}\div 3$의 몫은 $\frac{8}{5}$을 3등분한 것 중의 하나이므로 $\frac{8}{5}$의 $\frac{\square}{\square}$입니다.

따라서 $\frac{8}{5}\div 3=\frac{8}{5}\times\frac{\square}{\square}=\frac{\square}{\square}$입니다.

다음과 같이 나눗셈을 곱셈으로 나타내어 계산해 보세요.

$\frac{2}{7} \div 4 = \frac{2}{7} \times \frac{1}{4} = \frac{1}{14}$

$\frac{1}{2} \div 7 = \frac{1}{2} \times \frac{1}{\square} = \frac{\square}{\square}$

$\frac{5}{6} \div 3 = \frac{5}{6} \times \frac{1}{\square} = \frac{\square}{\square}$

$\frac{3}{10} \div 9 = \frac{3}{10} \times \frac{1}{\square} = \frac{\square}{\square}$

$\frac{9}{5} \div 4 = \frac{9}{5} \times \frac{\square}{\square} = \frac{\square}{\square}$

$\frac{14}{9} \div 6 = \frac{\square}{\square} \times \frac{1}{6} = \frac{\square}{\square}$

$\frac{4}{7} \div 5$

$\frac{7}{9} \div 2$

$\frac{8}{3} \div 6$

$\frac{15}{8} \div 3$

04 일

# 분수의 나눗셈

계산해 보세요.

$\frac{8}{9} \div 2$

$\frac{9}{11} \div 3$

$\frac{10}{13} \div 5$

$\frac{8}{15} \div 4$

$\frac{1}{3} \div 7$

$\frac{2}{5} \div 3$

$\frac{5}{7} \div 2$

$\frac{3}{8} \div 4$

$\frac{7}{10} \div 6$

$\frac{4}{9} \div 8$

$\frac{6}{5} \div 3$

$\frac{10}{7} \div 9$

$\frac{7}{6} \div 5$

$\frac{11}{8} \div 7$

계산 결과가 같은 식에 ○표 하세요.

$\frac{3}{4}\div7$ — $\frac{4}{3}\div7$ $\frac{4}{3}\times7$ $\frac{21}{28}\div7$ $\frac{21}{35}\div7$

$\frac{8}{9}\div4$ — $\frac{6}{9}\div2$ $\frac{4}{9}\div2$ $\frac{4}{9}\div8$ $\frac{2}{9}\div4$

$\frac{2}{5}\div6$ — $\frac{2}{5}\times\frac{1}{6}$ $\frac{5}{2}\times\frac{1}{6}$ $\frac{5}{2}\times6$ $\frac{2}{5}\times6$

$\frac{5}{7}\div4$ — $\frac{7}{5}\div4$ $\frac{4}{7}\div5$ $\frac{7}{4}\div5$ $\frac{5}{4}\div7$

$\frac{9}{4}\div5$ — $\frac{5}{4}\div9$ $\frac{9}{5}\div4$ $\frac{9}{8}\div10$ $\frac{4}{9}\div5$

# 이야기하기

물음에 답하세요.

민서가 주스 $\frac{5}{6}$L를 4일 동안 똑같이 나누어 마시려고 합니다. 하루에 주스를 몇 L 마실 수 있을까요?

식 ______________ 답 ______ L

넓이가 $\frac{7}{3}$$m^2$인 직사각형의 가로가 3m입니다. 이 직사각형의 세로는 몇 m일까요?

식 ______________ 답 ______ m

무게가 모두 같은 감자 4개의 무게가 $\frac{8}{9}$kg입니다. 감자 1개의 무게는 몇 kg일까요?

식 ______________ 답 ______ kg

철사 $\frac{6}{7}$m를 모두 사용하여 정삼각형 모양을 만들었습니다. 이 정삼각형 한 변의 길이는 몇 m일까요?

식 ______________ 답 ______ m

물음에 답하세요.

밀가루 $\frac{9}{10}$kg을 병 2개에 똑같이 나누어 담은 다음, 한 병에 들어 있는 밀가루를 모두 사용하여 똑같은 케이크 3개를 만들었습니다. 케이크 1개를 만드는 데 사용한 밀가루는 몇 kg인지 물음에 답하세요.

한 병에 담은 밀가루는 몇 kg인가요?

( )

케이크 1개를 만드는 데 사용한 밀가루는 몇 kg인가요?

( )

끈 $\frac{8}{5}$m를 모두 사용하여 크기가 똑같은 정사각형 2개를 만들었습니다. 이 정사각형 한 변의 길이는 몇 m인지 물음에 답하세요.

정사각형 1개를 만드는 데 사용한 끈은 몇 m인가요?

( )

정사각형 한 변의 길이는 몇 m인가요?

( )

수 카드 3장을 모두 사용하여 계산 결과가 가장 작은 나눗셈식을 만들고, 계산해 보세요.

1 2 3

$\frac{\square}{\square} \div \square =$ ______

7 6 5

$\frac{\square}{\square} \div \square =$ ______

3 2 5

$\frac{\square}{\square} \div \square =$ ______

7 3 8

$\frac{\square}{\square} \div \square =$ ______

8 5 9

$\frac{\square}{\square} \div \square =$ ______

4 8 3

$\frac{\square}{\square} \div \square =$ ______

06일 ~ 10일

# 2주차 (대분수)÷(자연수)

## 06 일 (대분수)÷(자연수)

다음과 같이 대분수를 가분수로 바꾸고, 분자를 자연수의 배수로 나타내어 계산해 보세요.

$2\frac{1}{4} \div 5 = \frac{9}{4} \div 5 = \frac{45}{20} \div 5 = \frac{45 \div 5}{20} = \frac{9}{20}$

분자를 5의 배수로 바꾸었습니다.

$1\frac{4}{5} \div 3 = \frac{\square}{5} \div 3 = \frac{\square \div 3}{5} = \frac{\square}{5}$

$3\frac{1}{6} \div 4 = \frac{\square}{6} \div 4 = \frac{\square}{24} \div 4 = \frac{\square \div 4}{24} = \frac{\square}{\square}$

$2\frac{3}{5} \div 3 = \frac{\square}{5} \div 3 = \frac{\square}{15} \div 3 = \frac{\square \div \square}{15} = \frac{\square}{\square}$

$2\frac{2}{7} \div 8$

$3\frac{3}{4} \div 4$

다음과 같이 대분수를 가분수로 바꾸고, 나눗셈을 곱셈으로 나타내어 계산해 보세요.

$$2\frac{1}{4}\div5=\frac{9}{4}\div5=\frac{9}{4}\times\frac{1}{5}=\frac{9}{20}$$

$$1\frac{5}{6}\div2=\frac{\square}{6}\div2=\frac{\square}{6}\times\frac{1}{\square}=\frac{\square}{\square}$$

$$4\frac{1}{2}\div4=\frac{\square}{2}\div4=\frac{\square}{2}\times\frac{1}{\square}=\square\frac{\square}{\square}$$

$$3\frac{3}{5}\div8=\frac{\square}{5}\div8=\frac{\square}{5}\times\frac{\square}{\square}=\frac{\square}{\square}$$

$$5\frac{2}{3}\div6$$

$$2\frac{5}{8}\div7$$

# 분수의 나눗셈

계산해 보세요.

$2\frac{1}{4} \div 3$

$4\frac{2}{7} \div 5$

$1\frac{7}{9} \div 4$

$3\frac{3}{4} \div 6$

$3\frac{3}{7} \div 9$

$6\frac{4}{5} \div 8$

$6\frac{1}{8} \div 7$

$5\frac{5}{7} \div 6$

$2\frac{1}{3} \div 4$

$1\frac{4}{9} \div 7$

$4\frac{5}{6} \div 5$

$5\frac{1}{4} \div 2$

$3\frac{1}{6} \div 6$

$3\frac{4}{9} \div 3$

빈 곳에 알맞은 분수를 써넣으세요.

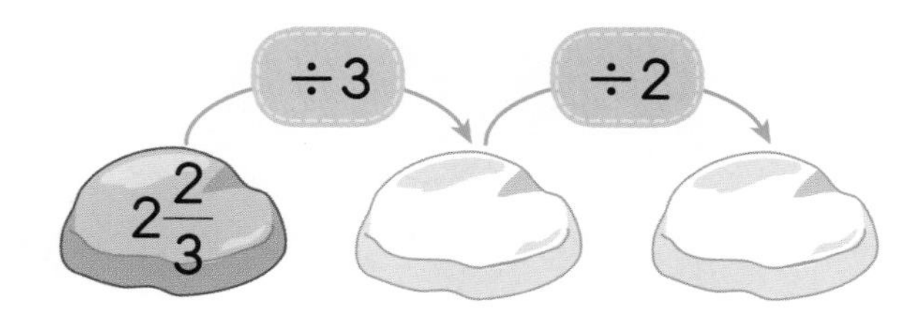


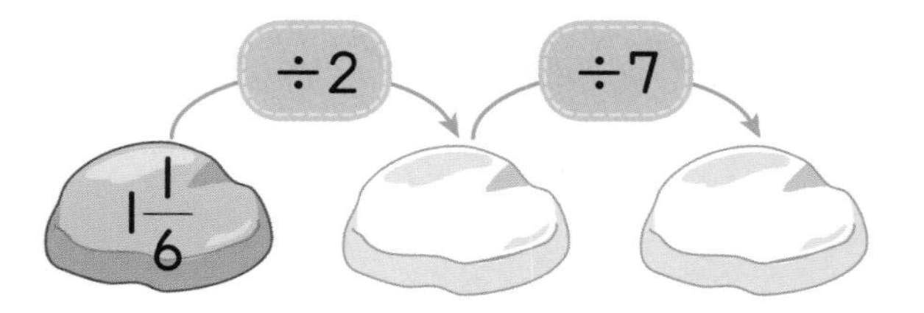


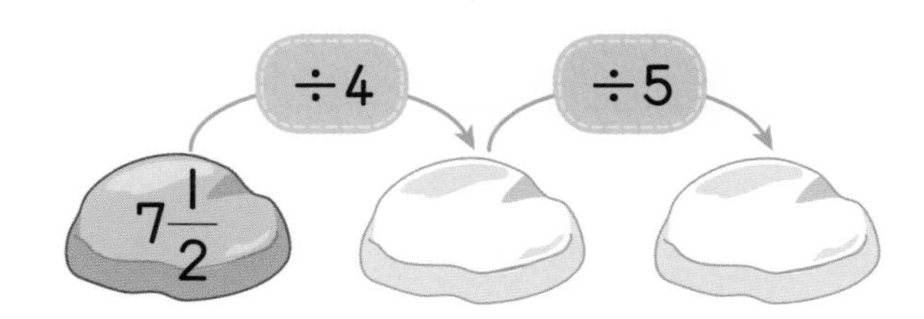


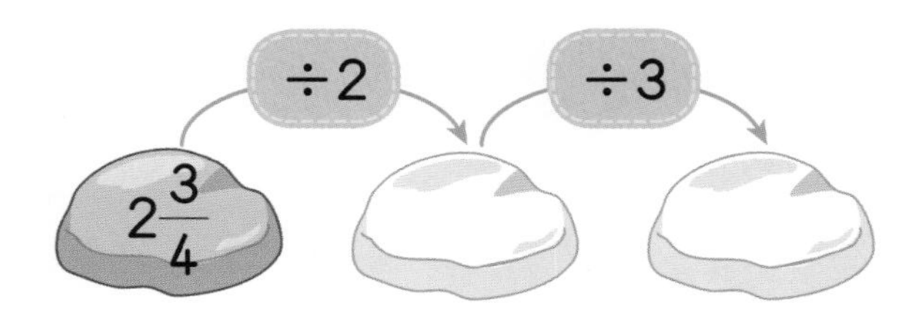


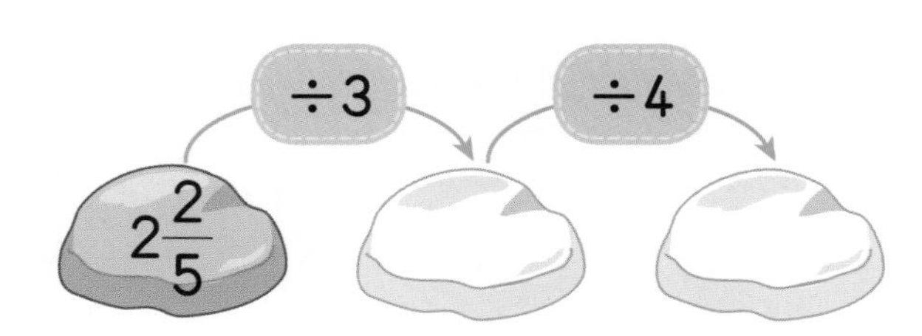


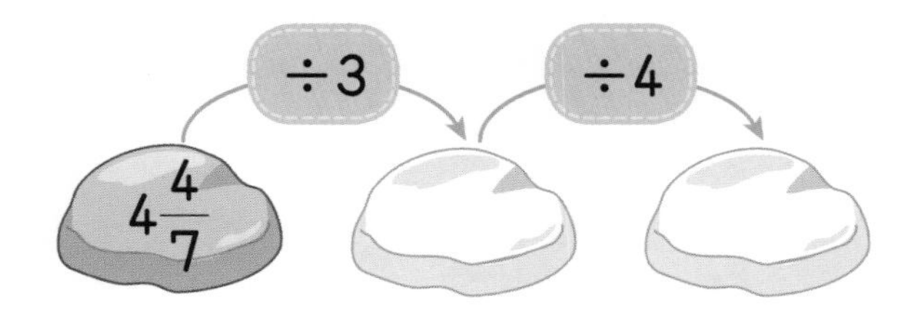


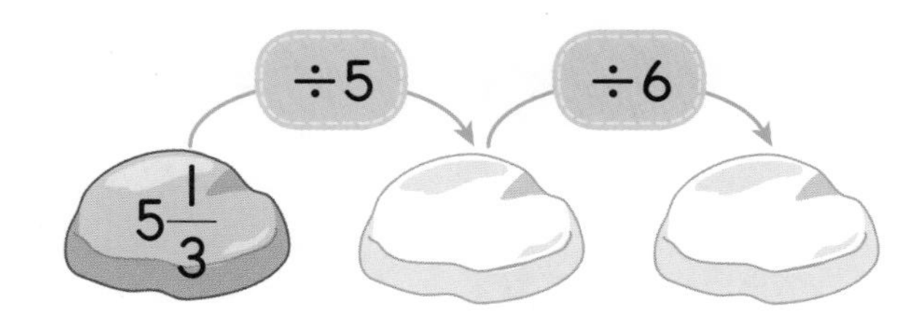


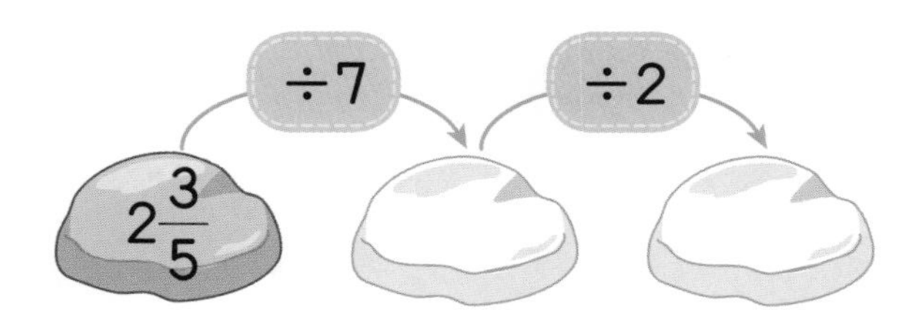

# 08 일 계산 결과 비교하기

계산 결과를 비교하여 ○ 안에 >, =, <를 알맞게 써넣으세요.

$\frac{8}{3} \div 2$ ○ $3\frac{1}{3} \div 2$

$2\frac{2}{5} \div 3$ ○ $\frac{9}{5} \div 3$

$2\frac{2}{3} \div 4$ ○ $\frac{4}{3} \div 2$

$\frac{18}{7} \div 3$ ○ $4\frac{2}{7} \div 6$

$1\frac{4}{5} \div 5$ ○ $2\frac{1}{5} \div 5$

$8\frac{1}{4} \div 7$ ○ $5\frac{1}{7} \div 4$

$3\frac{3}{4} \div 2$ ○ $8\frac{1}{2} \div 4$

$2\frac{3}{8} \div 3$ ○ $4\frac{1}{4} \div 6$

$3\frac{5}{6} \div 2$ ○ $5\frac{1}{4} \div 3$

$6\frac{2}{3} \div 8$ ○ $1\frac{2}{3} \div 2$

$3\frac{7}{9} \div 4$ ○ $6\frac{1}{3} \div 6$

$5\frac{1}{5} \div 4$ ○ $6\frac{3}{5} \div 6$

□ 안에 들어갈 수 있는 자연수를 모두 써 보세요.

$\frac{\square}{6} < \frac{5}{2} \div 3$

(　　　　　　　　　)

$\frac{\square}{8} < \frac{21}{8} \div 7$

(　　　　　　　　　)

$\frac{\square}{15} < 1\frac{1}{3} \div 5$

(　　　　　　　　　)

$\frac{\square}{7} < 2\frac{6}{7} \div 5$

(　　　　　　　　　)

$\frac{\square}{5} < 1\frac{1}{5} \div 2$

(　　　　　　　　　)

$\frac{\square}{25} < 1\frac{1}{5} \div 5$

(　　　　　　　　　)

$\frac{\square}{10} < 2\frac{4}{5} \div 4$

(　　　　　　　　　)

$\frac{\square}{18} < 2\frac{2}{9} \div 8$

(　　　　　　　　　)

# □가 있는 식

빈칸에 알맞은 수를 써넣으세요.

$\square \times 3 = \frac{3}{7}$

$\frac{3}{7} \div 3 = \frac{1}{7}$

$\square \times 4 = \frac{5}{6}$

곱셈식은 나눗셈식으로 나타낼 수 있습니다.

$\square \times 5 = 3\frac{1}{3}$

$\square \times 6 = 3\frac{3}{5}$

$\square \times 6 = 3\frac{1}{2}$

$\square \times 5 = 7\frac{1}{3}$

$4 \times \square = \frac{8}{9}$

$3 \times \square = 1\frac{1}{4}$

$6 \times \square = 4\frac{2}{3}$

$5 \times \square = 5\frac{2}{3}$

$2 \times \square = 2\frac{3}{5}$

$8 \times \square = 5\frac{1}{7}$

## 나눗셈식으로 나타내고 답을 구해 보세요.

가로가 6cm이고 넓이가 $\frac{40}{3}$cm²인 직사각형의 세로는 몇 cm일까요?

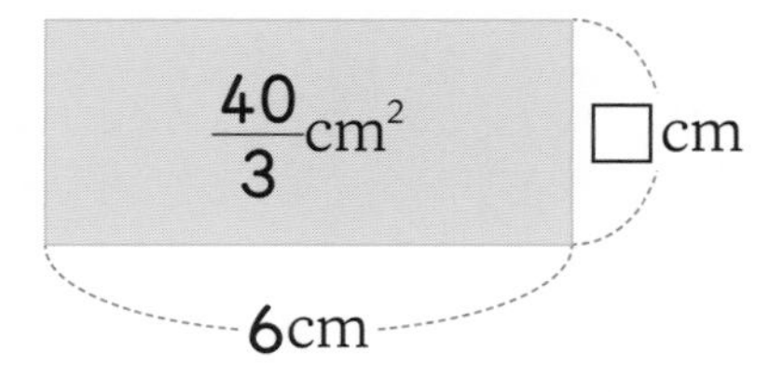


식

답 cm

둘레가 $8\frac{1}{3}$cm인 정사각형의 한 변의 길이는 몇 cm일까요?

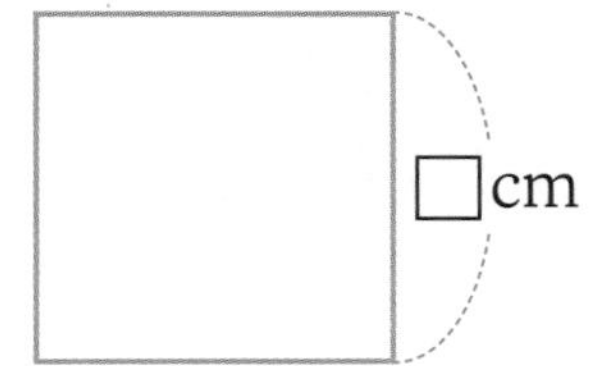


식

답 cm

둘레가 $9\frac{3}{4}$cm인 정육각형의 한 변의 길이는 몇 cm일까요?

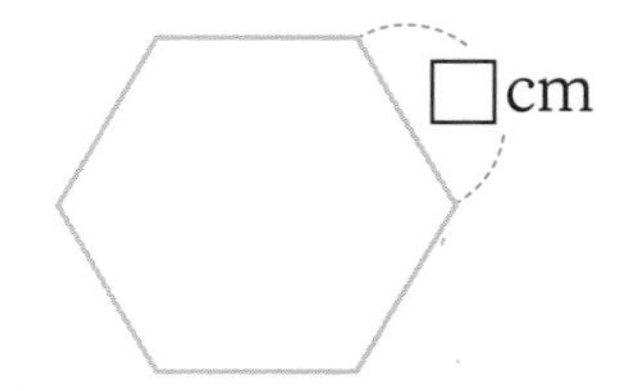


식

답 cm

# 10 일 이야기하기

물음에 답하세요.

찰흙 $2\frac{1}{4}$kg을 똑같이 8덩어리로 나누었습니다. 찰흙 한 덩어리는 몇 kg일까요?

식 ______________________ 답 __________ kg

하은이는 3시간 동안 $9\frac{1}{2}$km를 걸었습니다. 일정한 빠르기로 걸었다면 1시간 동안 걸은 거리는 몇 km일까요?

식 ______________________ 답 __________ km

카레 5인분을 만드는 데 양파 $2\frac{1}{7}$개가 필요합니다. 카레 1인분을 만드는 데 필요한 양파는 몇 개일까요?

식 ______________________ 답 __________ 개

페인트 4통으로 담장 $5\frac{3}{4}$$m^2$를 칠했습니다. 페인트 한 통으로 칠한 담장의 넓이는 몇 $m^2$일까요?

식 ______________________ 답 __________ $m^2$

물음에 답하세요.

무게가 같은 사과 5개의 무게가 $1\frac{3}{7}$kg입니다. 사과 2개의 무게는 몇 kg일까요?

사과 1개의 무게를 구합니다.

( )

한 봉지에 설탕 $\frac{4}{5}$kg이 들어 있습니다. 6봉지에 들어 있는 설탕을 4명이 똑같이 나누어 가진다면 한 명이 가질 수 있는 설탕은 몇 kg일까요?

( )

식용유를 어제 $\frac{3}{5}$L 사고, 오늘 $1\frac{1}{5}$L 샀습니다. 어제와 오늘 산 식용유를 3병에 똑같이 나누어 담았습니다. 한 병에 담은 식용유는 몇 L일까요?

( )

배 5개가 들어 있는 상자 전체의 무게가 $3\frac{1}{9}$kg입니다. 빈 상자의 무게가 $\frac{8}{9}$kg이고, 배의 무게가 모두 같다면 배 한 개는 몇 kg일까요?

( )

물음에 답하세요.

넓이가 $9\frac{1}{2}$cm²인 직사각형을 똑같이 5등분하였습니다. 색칠한 부분의 넓이는 몇 cm²일까요?

한 부분의 넓이를 구합니다.

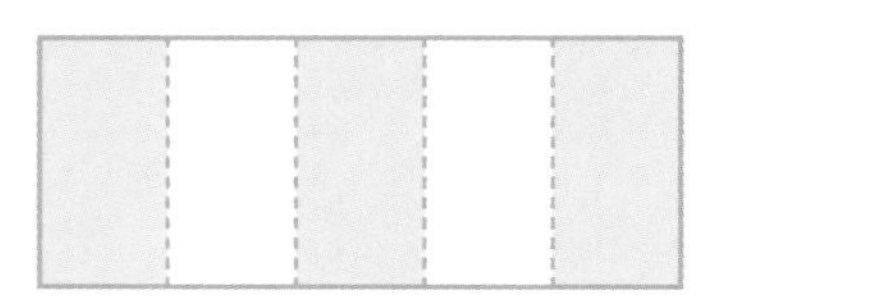

( )

수직선에서 0과 $1\frac{1}{4}$ 사이를 똑같이 3등분했습니다. ㉠에 알맞은 수는 얼마일까요?

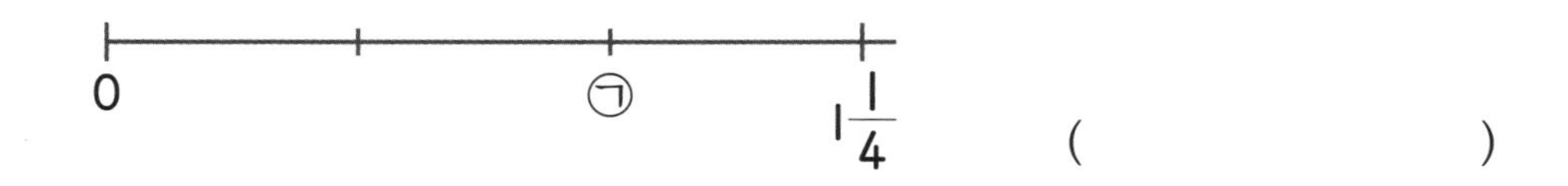


( )

밑변이 4cm이고 넓이가 $6\frac{2}{3}$cm²인 삼각형의 높이는 몇 cm일까요?

삼각형 넓이의 2배는 밑변과 높이가 같은 평행사변형의 넓이입니다.

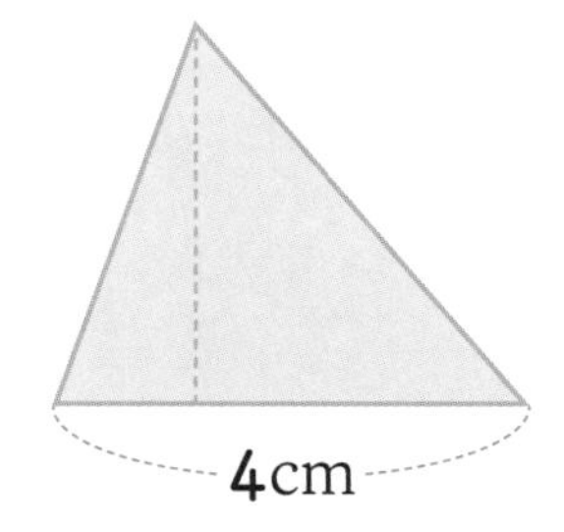


( )

11일 ~ 15일

# 3주차 (소수)÷(자연수) (1)

- 11일 분수로 계산하기
- 12일 자연수로 계산하기
- 13일 세로로 계산하기
- 14일 수 카드 나눗셈
- 15일 이야기하기

# 분수로 계산하기

소수의 나눗셈을 분수의 나눗셈으로 바꾸어 계산해 보세요.

$$7.5 \div 5 = \frac{75}{10} \div 5 = \frac{\square \div 5}{10} = \frac{\square}{10} = \square$$

$$93.2 \div 4 = \frac{\square}{10} \div 4 = \frac{\square \div 4}{10} = \frac{\square}{10} = \square$$

$$12.39 \div 3 = \frac{\square}{100} \div 3 = \frac{\square \div \square}{100} = \frac{\square}{100} = \square$$

$$1.68 \div 7 = \frac{\square}{100} \div 7 = \frac{\square \div \square}{100} = \frac{\square}{100} = \square$$

$$0.72 \div 6 = \frac{\square}{100} \div 6 = \frac{\square \div \square}{100} = \frac{\square}{100} = \square$$

★ 소수를 분수로 나타내기

소수 한 자리 수는 분모가 10인 분수로, 소수 두 자리 수는 분모가 100인 분수로 나타낼 수 있습니다.

$0.3 = \frac{3}{10}$ $2.6 = \frac{26}{10}$ $15.2 = \frac{152}{10}$ $0.07 = \frac{7}{100}$ $0.53 = \frac{53}{100}$ $32.05 = \frac{3205}{100}$

다음과 같이 소수의 나눗셈을 분수의 나눗셈으로 바꾸어 계산해 보세요.

$$35.25\div3=\frac{3525}{100}\div3=\frac{3525\div3}{100}=\frac{1175}{100}=11.75$$

$43.6\div2$

$6.85\div5$

$36.84\div6$

$1.16\div4$

$0.81\div3$

# 12 일 자연수로 계산하기

자연수의 나눗셈을 이용하여 소수의 나눗셈을 계산해 보세요.

$96 \div 6 = \square$

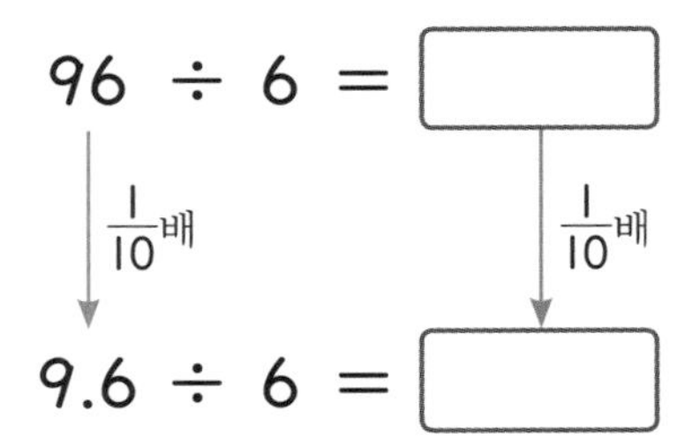


$9.6 \div 6 = \square$

나누어지는 수가 $\frac{1}{10}$배 되면 몫도 $\frac{1}{10}$배가 됩니다.

$924 \div 2 = \square$

$\frac{1}{100}$배 $\frac{1}{100}$배

$9.24 \div 2 = \square$

$381 \div 3 = \square$

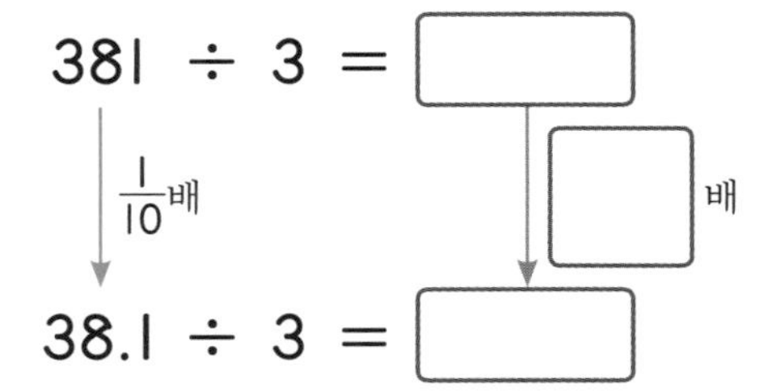


$38.1 \div 3 = \square$

$6376 \div 4 = \square$

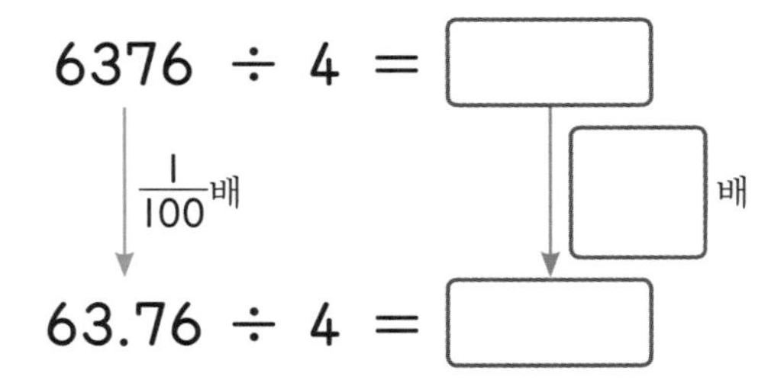


$63.76 \div 4 = \square$

$532 \div 7 = \square$

$\square$배 $\frac{1}{10}$배

$53.2 \div 7 = \square$

$85 \div 5 = \square$

$\square$배 $\frac{1}{100}$배

$0.85 \div 5 = \square$

$24 \div 8 = \square$

$\square$배 $\square$배

$2.4 \div 8 = \square$

$402 \div 6 = \square$

$\square$배 $\square$배

$4.02 \div 6 = \square$

계산해 보세요. (몫은 소수로 나타냅니다.)

$7.6 \div 4$

$0.9 \div 3$

$65.1 \div 3$

$4.5 \div 5$

$16.5 \div 5$

$3.44 \div 4$

$7.96 \div 2$

$0.84 \div 6$

$86.52 \div 7$

$1.56 \div 3$

$25.44 \div 8$

$5.67 \div 9$

$32.76 \div 6$

$0.56 \div 4$

# 세로로 계산하기

빈칸에 알맞은 수를 써넣으세요.

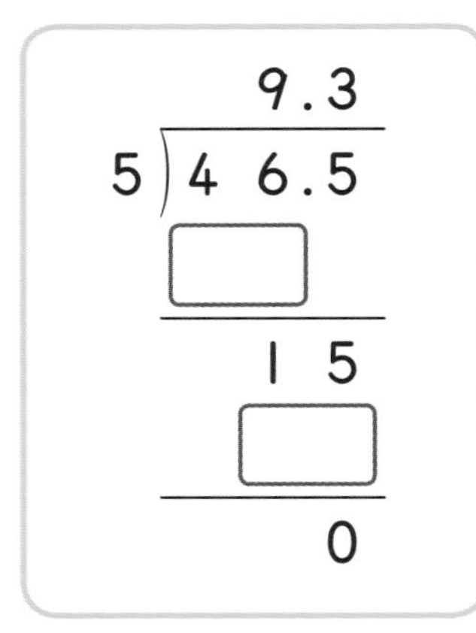


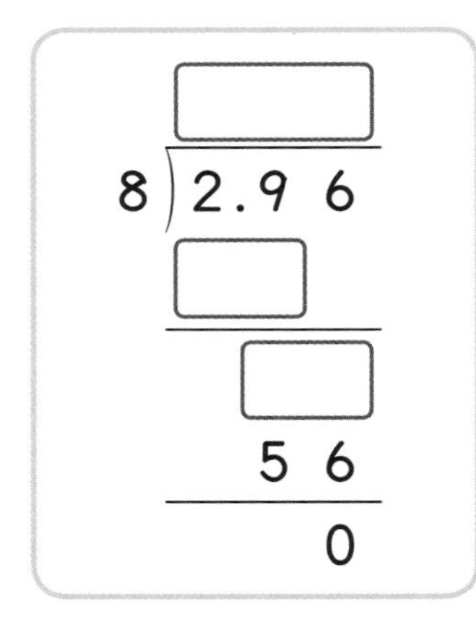


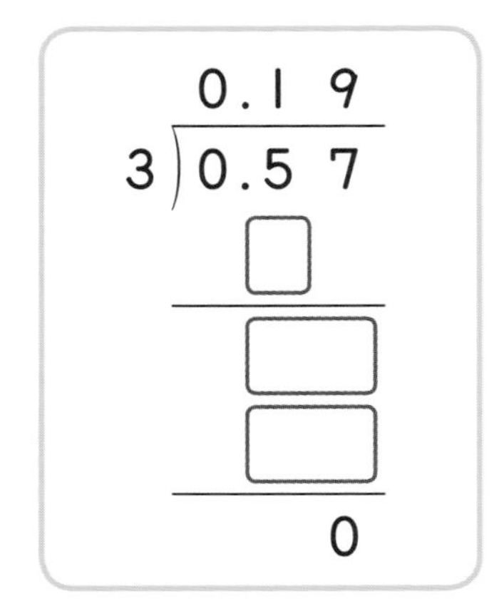


```
     □
2)4.7 8
  4
   7
   □
  □
  1 8
    0
```

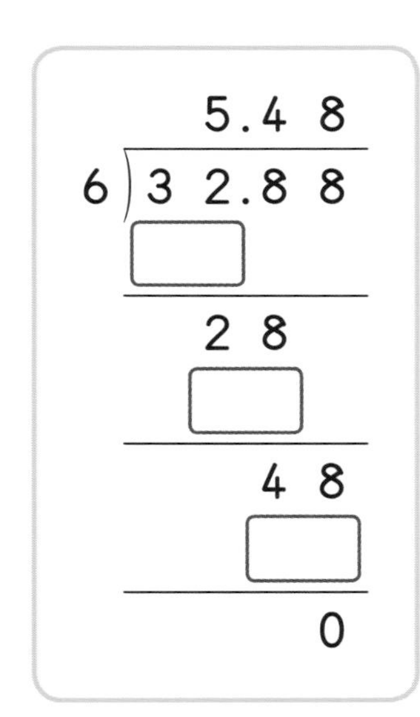


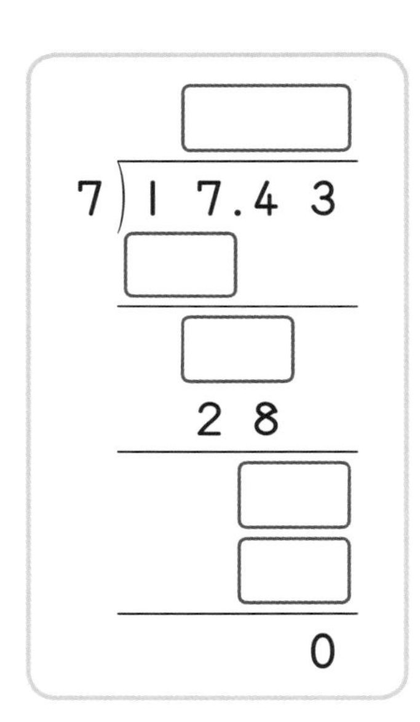


## ★ 세로로 계산하기

자연수의 나눗셈과 같은 방법으로 계산하고, 나누어지는 수의 소수점 위치에 맞추어 몫에 소수점을 올려 찍습니다.

```
     5 6 2             5.6 2
3)1 6 8 6   ➡   3)1 6.8 6
  1 5               1 5
    1 8               1 8
    1 8               1 8
        6                 6
        6                 6
        0                 0
```

```
    4 9            0.4 9
5)2 4 5   ➡   5)2.4 5
  2 0            2 0
    4 5            4 5
    4 5            4 5
      0              0
```

몫이 1보다 작으면 자연수 자리에 0을 씁니다.

월 일

계산해 보세요.

$4\overline{)78.4}$ $6\overline{)40.2}$ $3\overline{)8.52}$ $4\overline{)10.36}$

$6\overline{)1.38}$ $4\overline{)2.16}$ $8\overline{)6.08}$ $5\overline{)38.05}$

$3\overline{)0.54}$ $7\overline{)0.98}$ $6\overline{)0.72}$ $2\overline{)53.76}$

14 일

# 수 카드 나눗셈

수 카드 4장 중 3장으로 가장 큰 소수 두 자리 수를 만들고, 이 수를 남은 수 카드의 수로 나눈 몫을 구해 보세요. (몫은 소수로 나타냅니다.)

2 4 5 7

$\square \div \square =$ ______

8 6 4 3

$\square \div \square =$ ______

9 6 7 4

$\square \div \square =$ ______

4 2 9 8

$\square \div \square =$ ______

8 6 7 2

$\square \div \square =$ ______

5 3 6 7

$\square \div \square =$ ______

3 8 9 7

$\square \div \square =$ ______

7 8 6 4

$\square \div \square =$ ______

수 카드 4장 중 3장으로 가장 작은 소수 두 자리 수를 만들고, 이 수를 남은 수 카드의 수로 나눈 몫을 구해 보세요. (몫은 소수로 나타냅니다.)

1 3 6 8

☐ ÷ ☐ = ____

9 5 7 6

☐ ÷ ☐ = ____

6 4 8 5

☐ ÷ ☐ = ____

2 1 6 7

☐ ÷ ☐ = ____

7 9 3 8

☐ ÷ ☐ = ____

6 4 3 2

☐ ÷ ☐ = ____

5 2 7 4

☐ ÷ ☐ = ____

3 5 1 9

☐ ÷ ☐ = ____

## 15일 이야기하기

물음에 답하세요. (답은 소수로 나타냅니다.)

소금 7.2kg을 4병에 똑같이 나누어 담았습니다. 한 병에 담긴 소금은 몇 kg일까요?

식 ______________________ 답 __________ kg

무게가 같은 수박 8개의 무게가 98.4kg입니다. 수박 1개의 무게는 몇 kg일까요?

식 ______________________ 답 __________ kg

아현이는 화분 6개에 물 3.36L를 똑같이 나누어 주었습니다. 화분 1개에 준 물은 몇 L일까요?

식 ______________________ 답 __________ L

둘레가 0.52m인 정사각형 모양의 색종이가 있습니다. 색종이의 한 변의 길이는 몇 m일까요?

식 ______________________ 답 __________ m

물음에 답하세요. (답은 소수로 나타냅니다.)

선우는 길이가 2m인 끈을 가지고 있고, 민서는 6.28m인 끈을 가지고 있습니다. 민서가 가진 끈은 선우가 가진 끈의 길이의 몇 배일까요?

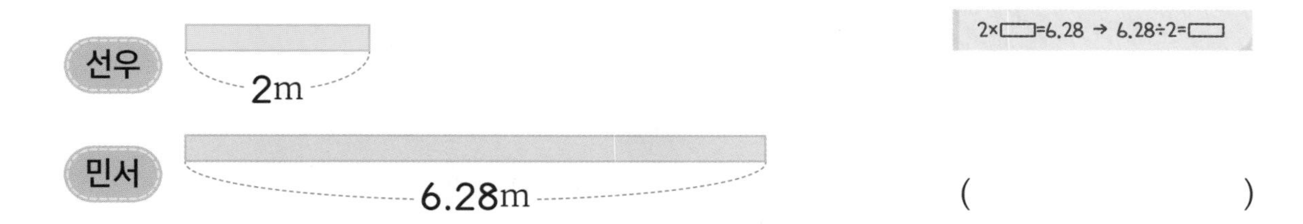


(                    )

농장에 있는 닭의 무게는 3kg, 양의 무게는 50.7kg입니다. 양의 무게는 닭의 무게의 몇 배일까요?

(                    )

가로가 16.59cm, 세로가 7cm인 직사각형이 있습니다. 가로는 세로의 몇 배일까요?

(                    )

물음에 답하세요. (답은 소수로 나타냅니다.)

은재는 가로가 3cm, 세로가 3cm인 정사각형을 그렸고, 시후는 가로가 4.8cm, 세로가 3cm인 직사각형을 그렸습니다. 시후가 그린 사각형의 넓이는 은재가 그린 사각형의 넓이의 몇 배일까요?

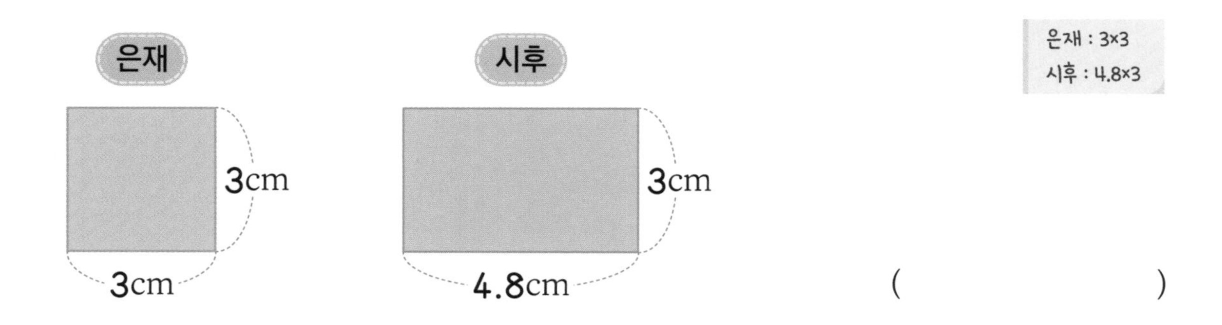


(　　　　　　)

밑변의 길이가 10.85cm, 높이가 2cm인 삼각형의 넓이는 밑변의 길이가 5cm, 높이가 2cm인 삼각형의 넓이의 몇 배일까요?

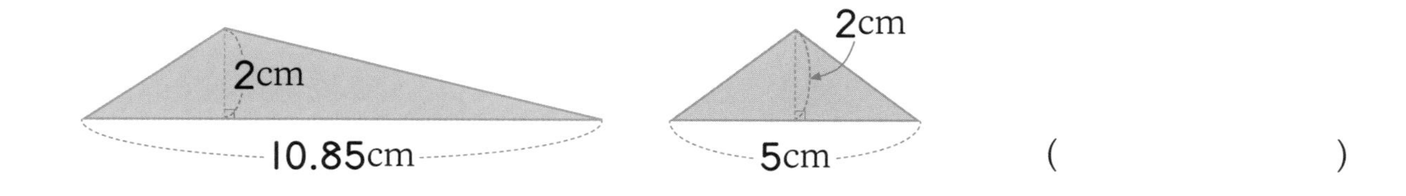


(　　　　　　)

16일~20일

# 4주차 (소수)÷(자연수) (2)

# 16 일 분수로 계산하기

소수의 나눗셈을 분수의 나눗셈으로 바꾸어 계산해 보세요.

$$4.5 \div 2 = \frac{45}{10} \div 2 = \frac{\square}{100} \div 2 = \frac{\square \div 2}{100} = \frac{\square}{100} = \square$$

$$3.16 \div 5 = \frac{316}{100} \div 5 = \frac{\square}{1000} \div 5 = \frac{\square \div 5}{1000} = \frac{\square}{1000}$$
$$= \square$$

$$5.4 \div 4 = \frac{\square}{100} \div 4 = \frac{\square \div \square}{100} = \frac{\square}{100} = \square$$

$$0.4 \div 5 = = \frac{\square}{100} \div 5 = \frac{\square \div \square}{100} = \frac{\square}{100} = \square$$

$$8.44 \div 8 = \frac{\square}{1000} \div 8 = \frac{\square \div \square}{1000} = \frac{\square}{1000} = \square$$

**★ 소수를 분수로 나타내기**

분모가 10, 100인 분수에서 분자가 자연수로 나누어떨어지지 않으면 분모가 100, 1000인 분수로 바꿉니다.

$$\frac{37}{10} = \frac{370}{100} \qquad \frac{4}{10} = \frac{40}{100} \qquad \frac{512}{100} = \frac{5120}{1000} \qquad \frac{42}{100} = \frac{420}{1000}$$

다음과 같이 소수의 나눗셈을 분수의 나눗셈으로 바꾸어 계산해 보세요.

$2.7 \div 6 = \frac{270}{100} \div 6 = \frac{270 \div 6}{100} = \frac{45}{100} = 0.45$

$0.9 \div 2$

$7.4 \div 4$

$6.02 \div 5$

$8.1 \div 2$

$6.15 \div 6$

# 자연수로 계산하기

자연수의 나눗셈을 이용하여 소수의 나눗셈을 계산해 보세요.

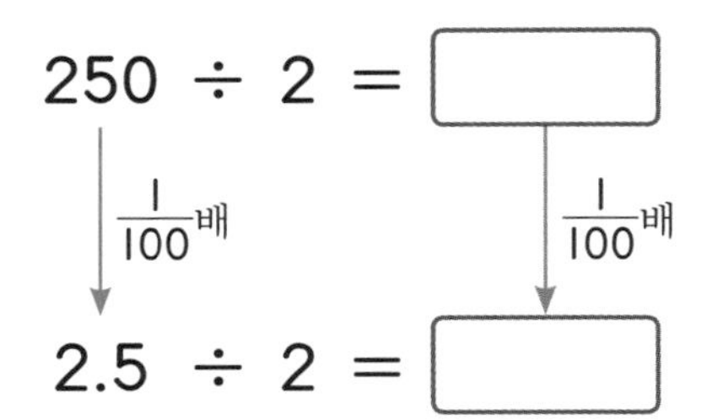

$250 \div 2 =$ ☐

$\frac{1}{100}$배 　　 $\frac{1}{100}$배

$2.5 \div 2 =$ ☐

25÷2는 나누어떨어지지 않으므로 250÷2를 이용합니다.

$570 \div 5 =$ ☐

$\frac{1}{100}$배 　　 $\frac{1}{100}$배

$5.7 \div 5 =$ ☐

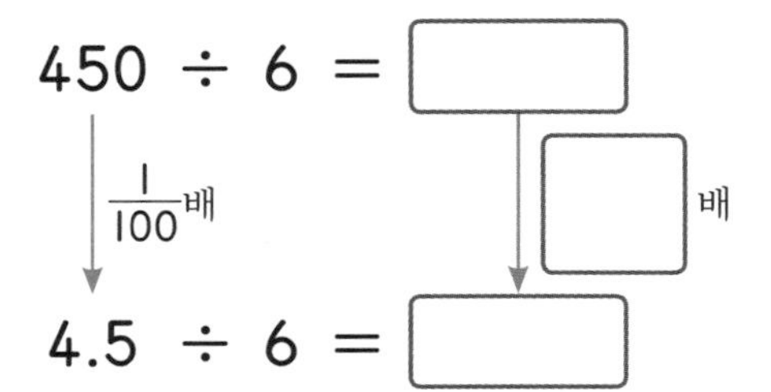

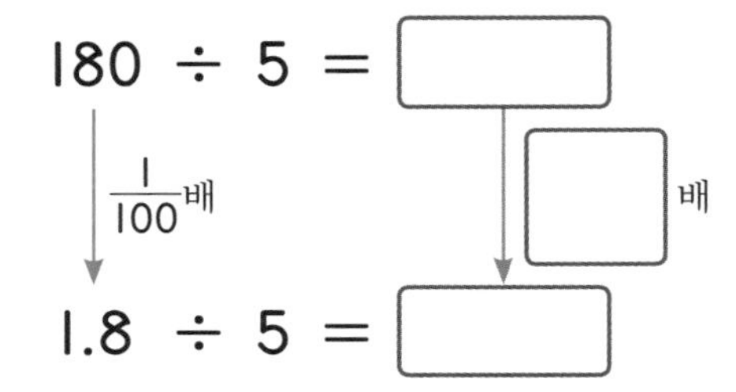

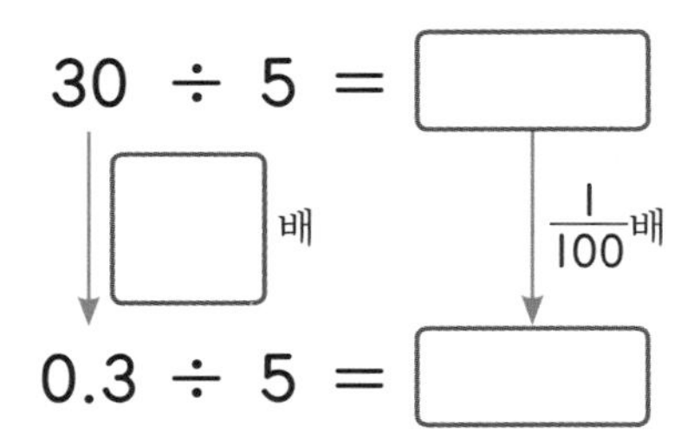

$450 \div 6 =$ ☐

$\frac{1}{100}$배 　　 ☐ 배

$4.5 \div 6 =$ ☐

$180 \div 5 =$ ☐

$\frac{1}{100}$배 　　 ☐ 배

$1.8 \div 5 =$ ☐

$30 \div 5 =$ ☐

☐ 배 　　 $\frac{1}{100}$배

$0.3 \div 5 =$ ☐

$540 \div 4 =$ ☐

☐ 배 　　 $\frac{1}{1000}$배

$0.54 \div 4 =$ ☐

$820 \div 4 =$ ☐

☐ 배 　　 ☐ 배

$8.2 \div 4 =$ ☐

$8040 \div 8 =$ ☐

☐ 배 　　 ☐ 배

$8.04 \div 8 =$ ☐

계산해 보세요. (몫은 소수로 나타냅니다.)

$0.7 \div 2$

$2.8 \div 5$

$5.2 \div 8$

$0.6 \div 4$

$8.7 \div 6$

$4.6 \div 5$

$6.1 \div 2$

$8.2 \div 4$

$5.4 \div 5$

$0.3 \div 6$

$7.54 \div 4$

$0.96 \div 5$

$8.68 \div 8$

$0.15 \div 2$

# 18일 세로로 계산하기

계산해 보세요.

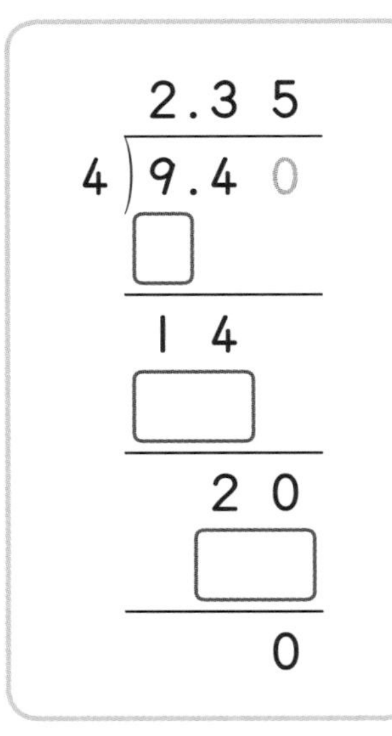

$$\begin{array}{r} 2.35 \\ 4\overline{)9.40} \\ \square \\ \hline 14 \\ \square \\ \hline 20 \\ \square \\ \hline 0 \end{array}$$

$$\begin{array}{r} \square \\ 2\overline{)4.30} \\ \square \\ \hline \square \\ 2 \\ \hline \square \\ 10 \\ \hline 0 \end{array}$$

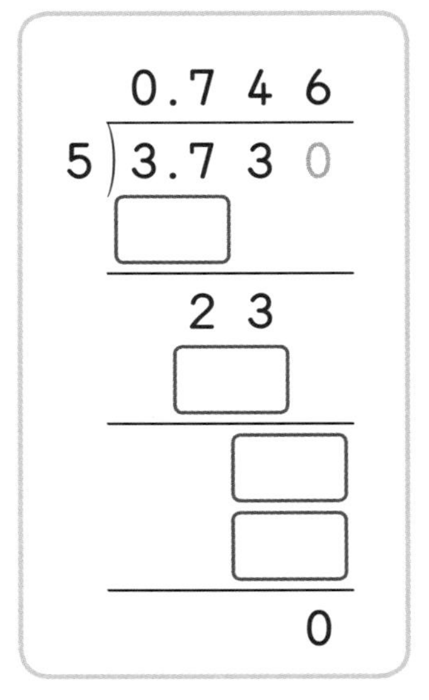

$$\begin{array}{r} 0.746 \\ 5\overline{)3.730} \\ \square \\ \hline 23 \\ \square \\ \hline \square \\ \square \\ \hline 0 \end{array}$$

$5\overline{)6.6}$

$8\overline{)5.2}$

$6\overline{)2.55}$

★ 0을 내리는 나눗셈

자연수의 나눗셈과 같은 방법으로 계산하고, 나누어지는 수의 소수점 위치에 맞추어 몫에 소수점을 올려 찍습니다.

$$\begin{array}{r} 156 \\ 5\overline{)780} \\ 5 \\ \hline 28 \\ 25 \\ \hline 30 \\ 30 \\ \hline 0 \end{array} \Rightarrow \begin{array}{r} 1.56 \\ 5\overline{)7.80} \\ 5 \\ \hline 28 \\ 25 \\ \hline 30 \\ 30 \\ \hline 0 \end{array}$$

이때, 계산이 끝나지 않으면 0을 하나 더 내려 계산합니다.

## 계산해 보세요.

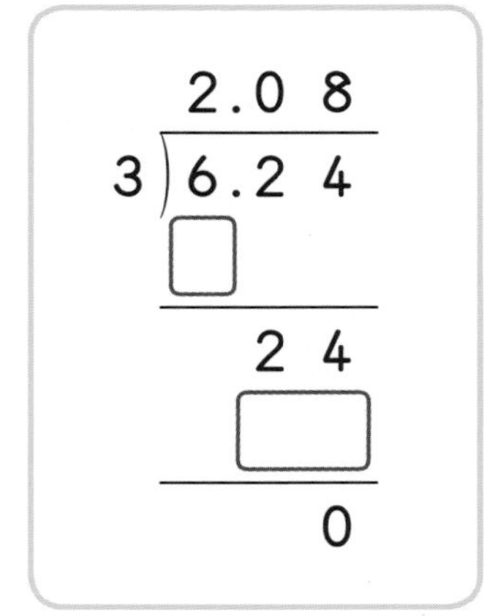

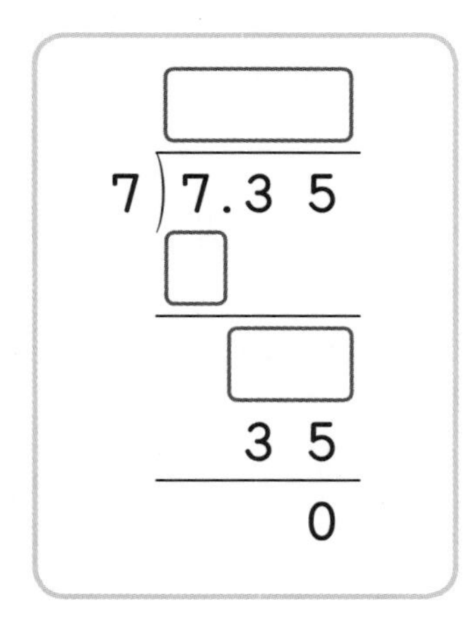

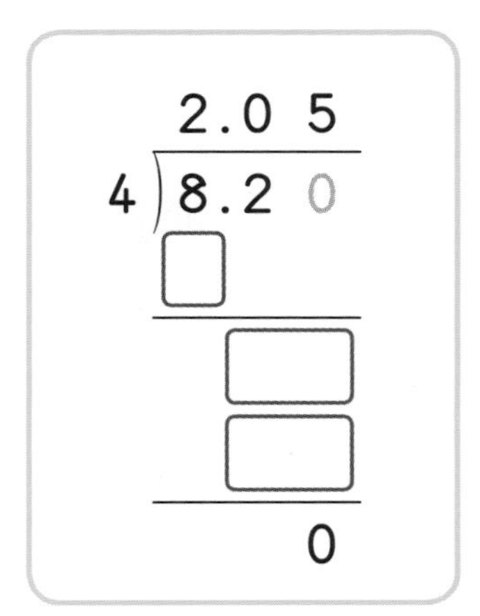

9)9.7 2

5)5.2 5

2)8.1

★ 몫의 소수 첫째 자리가 0

```
    1 0 4            1.0 4
5)5 2 0   ➡    5)5.2 0
  5                5
    2 0              2 0  ←
    2 0              2 0
      0                0
```

계산하는 중에 나누어야 할 수가 나누는 수보다 작은 경우에는 몫에 0을 쓰고, 수를 하나 더 내려 계산합니다.

# 19 일 여러 가지 계산 방법

여러 가지 방법으로 계산해 보세요. (계산 결과는 소수로 나타냅니다.)

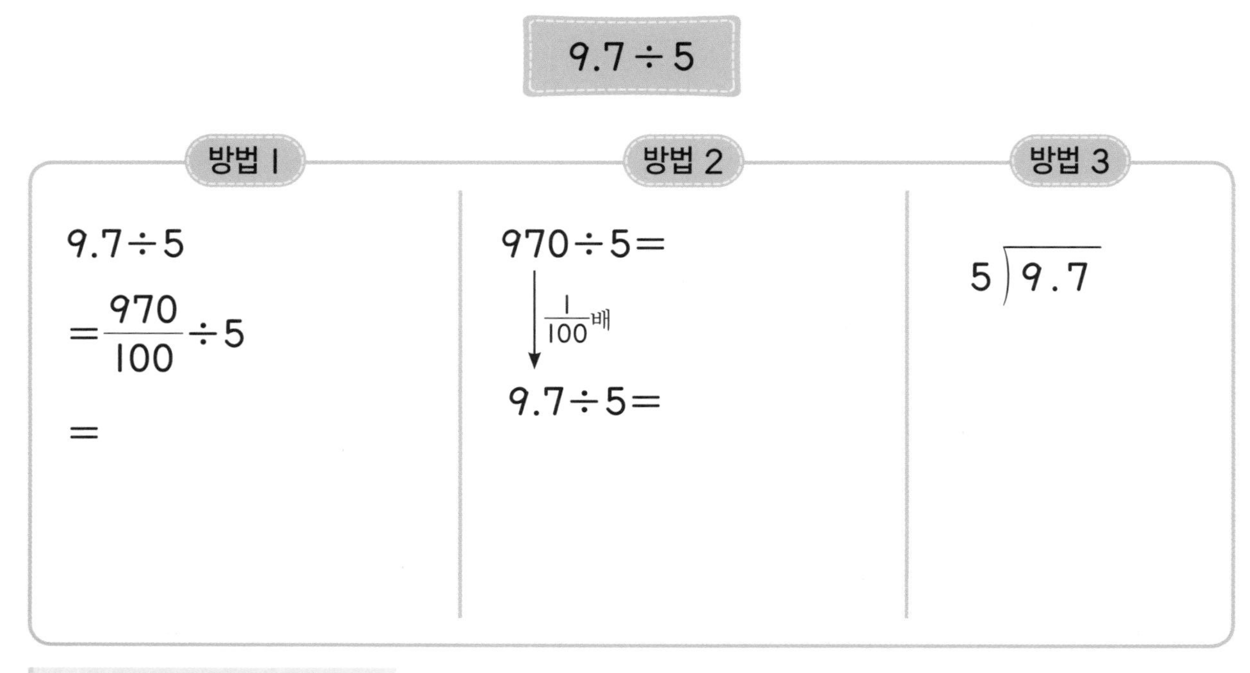


① 분수의 나눗셈으로 바꾸어 계산하기
② 자연수의 나눗셈을 이용하여 계산하기
③ 세로로 계산하기

$4.36 \div 4$

| 방법 1 | 방법 2 | 방법 3 |
| --- | --- | --- |
| | | |

물음에 답하세요. (계산 결과는 소수로 나타냅니다.)

쌀 5.7kg을 6개의 통에 똑같이 나누어 담았습니다. 한 통에 담긴 쌀은 몇 kg인지 두 가지 방법으로 구해 보세요.

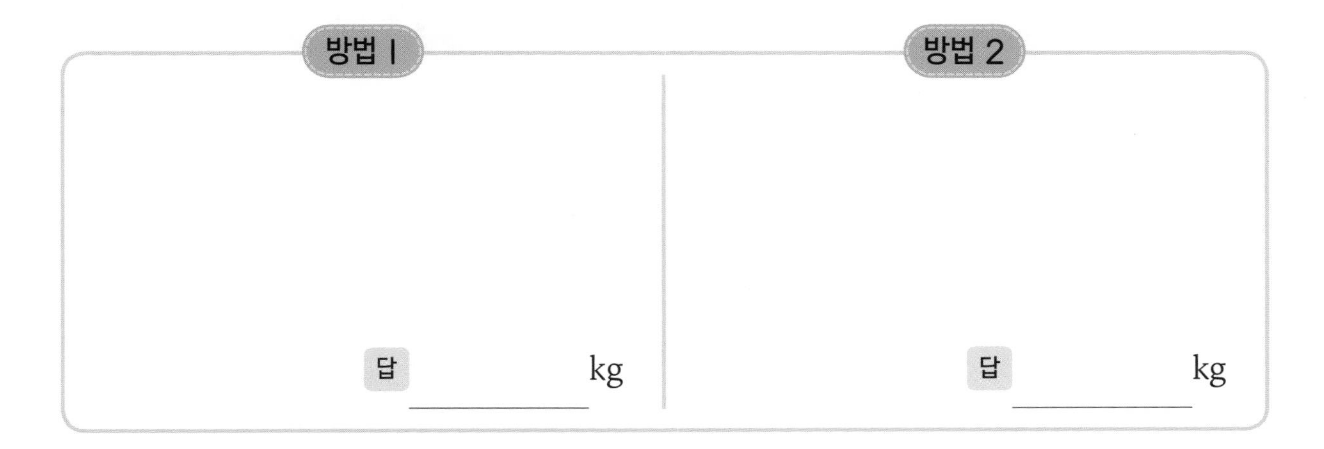


넓이가 9.18$m^2$인 화단을 똑같이 3부분으로 나누어 한 부분에 상추를 심었습니다. 상추를 심은 화단의 넓이는 몇 $m^2$인지 두 가지 방법으로 구해 보세요.

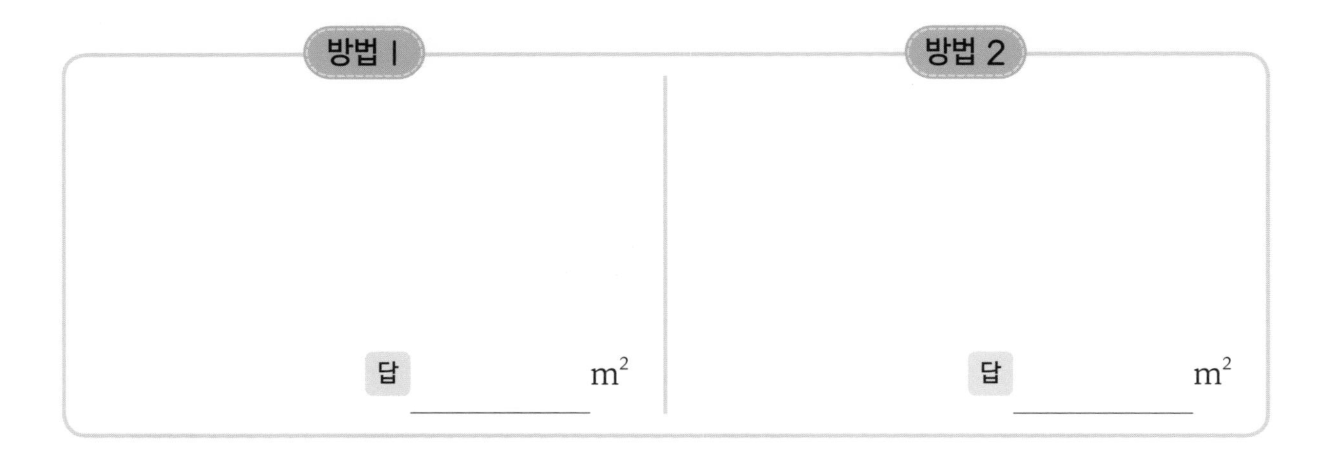

방법 1

답 _____ m²

방법 2

답 _____ m²

# 20일 이야기하기

물음에 답하세요. (답은 소수로 나타냅니다.)

두께가 모두 같은 책 5권을 쌓았더니 높이가 3.4cm입니다. 책 한 권의 두께는 몇 cm일까요?

식 ______________________ 답 __________ cm

고등어 한 손은 2마리입니다. 무게가 같은 고등어 한 손의 무게가 0.43kg이라면 고등어 한 마리의 무게는 몇 kg일까요?

식 ______________________ 답 __________ kg

직사각형 모양의 텃밭의 가로가 4.32m입니다. 텃밭의 가로가 세로의 4배라면 세로는 몇 m일까요?

식 ______________________ 답 __________ m

주스 3.6L를 8명이 똑같이 나누어 마시려고 합니다. 한 사람이 마실 수 있는 주스는 몇 L일까요?

식 ______________________ 답 __________ L

물음에 답하세요. (답은 소수로 나타냅니다.)

참외 2개의 무게는 0.64kg이고, 사과 6개의 무게는 2.1kg입니다. 참외와 사과 중 과일 하나 무게의 평균이 더 무거운 것은 무엇일까요?

( )

연재는 5걸음을 걸어서 2.3m를 갔고, 민호는 4걸음을 걸어서 1.8m를 갔습니다. 한 걸음 길이의 평균이 더 긴 사람은 누구일까요?

( )

길이가 3.12m인 노란색 끈은 똑같이 3도막으로 자르고, 7.56m인 파란색 끈은 똑같이 7도막으로 잘랐습니다. 한 도막의 길이가 더 긴 끈의 색깔은 무엇일까요?

( )

정사각형의 둘레는 4.2m, 정오각형의 둘레는 5.3m입니다. 한 변의 길이가 더 긴 도형은 무엇일까요?

( )

물음에 답하세요. (답은 소수로 나타냅니다.)

모든 모서리의 길이의 합이 9.9cm인 삼각뿔이 있습니다. 삼각뿔의 모든 모서리의 길이가 같다면 한 모서리의 길이는 몇 cm일까요?

식 ______________________

답 __________ cm

길이가 8.7m인 도로에 꽃 6송이를 같은 간격으로 심었습니다. 도로의 양끝에도 꽃을 심었다면 꽃 사이의 간격은 몇 m일까요?

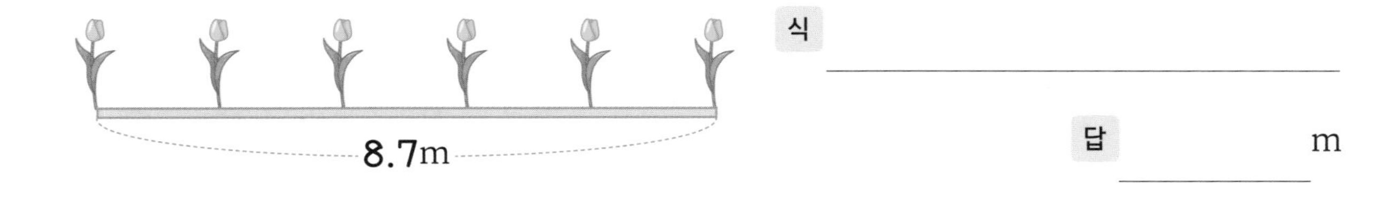


식 ______________________

답 __________ m

길이가 6.21m인 나무 판자를 같은 간격으로 2번 잘랐습니다. 잘린 한 도막의 길이는 몇 m일까요?

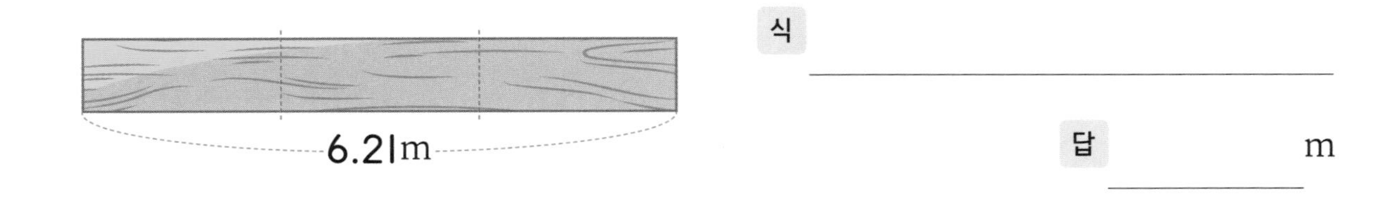


식 ______________________

답 __________ m

21일~25일

# 5주차 몫의 소수점

21 일

# 자연수로 나누기

빈칸에 알맞은 수를 써넣으세요.

6.08 → ÷2 → [ ] → ÷8 → [ ]

17.52 → ÷4 → [ ] → ÷6 → [ ]

19.04 → ÷7 → [ ] → ÷4 → [ ]

9.2 → ÷5 → [ ] → ÷2 → [ ]

8.7 → ÷6 → [ ] → ÷5 → [ ]

9.24 → ÷3 → [ ] → ÷4 → [ ]

빈칸에 알맞은 수를 써넣으세요.

| ÷ | | |
|---|---|---|
| 57.8 | 2 | |
| 5.78 | 2 | |

| ÷ | | |
|---|---|---|
| 31.5 | 7 | |
| 3.15 | 7 | |

| ÷ | | |
|---|---|---|
| 8.24 | 4 | |
| 82.4 | 4 | |

| ÷ | | |
|---|---|---|
| 1.65 | 5 | |
| 16.5 | 5 | |

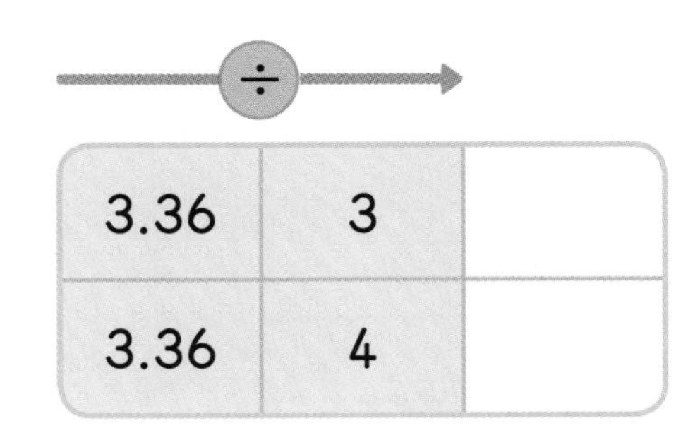

| ÷ | | |
|---|---|---|
| 3.36 | 3 | |
| 3.36 | 4 | |

| ÷ | | |
|---|---|---|
| 2.52 | 2 | |
| 2.52 | 3 | |

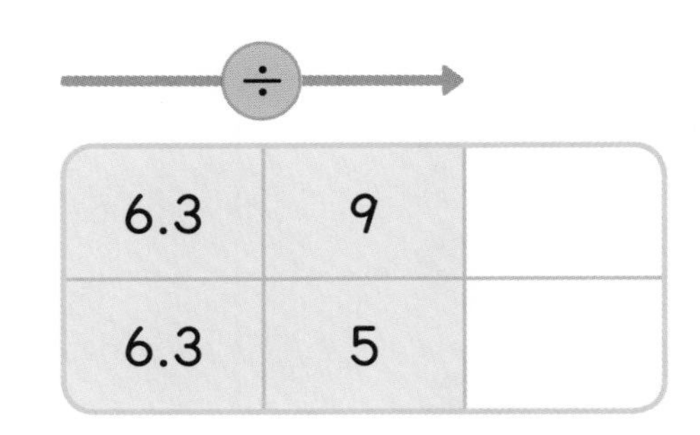

| ÷ | | |
|---|---|---|
| 6.3 | 9 | |
| 6.3 | 5 | |

| ÷ | | |
|---|---|---|
| 7.44 | 8 | |
| 7.44 | 6 | |

# 바르게 계산하기

나눗셈식을 잘못 계산하였습니다. 바르게 계산해 보세요.

```
   1 2.7
5)6.3 5
  5
  -----
  1 3
  1 0
  -----
    3 5
    3 5
  -----
      0
```

→ $5\overline{)6.35}$

```
     7.2
6)4.3 2
  4 2
  -----
    1 2
    1 2
  -----
      0
```

→ $6\overline{)4.32}$

```
   1.7
7)7.4 9
  7
  -----
    4 9
    4 9
  -----
      0
```

→ $7\overline{)7.49}$

나눗셈식을 잘못 계산하였습니다. 바르게 계산해 보세요.

```
      3.9
   ┌──────
 3 │ 1.1 7
       9
   ──────
      2 7
      2 7
   ──────
        0
```

➡

```
   ┌──────
 3 │ 1.1 7
```

```
     0.3 5
   ┌──────
 4 │ 1 4
     1 2
   ──────
      2 0
      2 0
   ──────
        0
```

➡

```
   ┌────
 4 │ 1 4
```

```
     7.5
   ┌──────
 8 │ 6
     5 6
   ──────
      4 0
      4 0
   ──────
        0
```

➡

```
   ┌──
 8 │ 6
```

# 23 일 몫 어림하기 (1)

빈칸에 알맞은 수를 써넣고, 소수점을 알맞은 위치에 찍어 보세요.

$11 \div 4$

$11 \div 4$를 자연수 부분까지 계산하면 몫은 □이고,
나머지는 □이므로 $11 \div 4$의 몫은 2보다 큽니다.
따라서 $11 \div 4 = 2□7□5$입니다.

$76 \div 5$

$76 \div 5$를 자연수 부분까지 계산하면 몫은 □이고,
나머지는 □이므로 $76 \div 5$의 몫은 □보다 큽니다.
따라서 $76 \div 5 = 1□5□2$입니다.

$9.84 \div 6$

소수를 버림하여 일의 자리까지 나타내면 $9 \div 6$이고,
계산하면 몫은 □, 나머지는 □이므로 $9.84 \div 6$의 몫은
□보다 큽니다. 따라서 $9.84 \div 6 = 1□6□4$입니다.

$83.6 \div 8$

소수를 버림하여 일의 자리까지 나타내면 □$\div 8$이고,
계산하면 몫은 □, 나머지는 □이므로 $83.6 \div 8$의 몫은
□보다 큽니다. 따라서 $83.6 \div 8 = 1□0□4□5$입니다.

빈칸에 알맞은 수를 써넣고, 소수점을 알맞은 위치에 찍어 보세요.

8.75÷5

소수를 반올림하여 일의 자리까지 나타내면 ☐ ÷5이고,

바꾼 식의 몫을 어림하여 자연수로 나타내면 ☐ 이므로

8.75÷5=1▢7▢5입니다.

29.4÷2

소수를 반올림하여 일의 자리까지 나타내면 ☐ ÷2이고,

바꾼 식의 몫을 어림하여 자연수로 나타내면 ☐ 이므로

29.4÷2=1▢4▢7입니다.

7.32÷3

소수를 반올림하여 일의 자리까지 나타내면 ☐ ÷3이고,

바꾼 식의 몫을 어림하여 자연수로 나타내면 ☐ 이므로

7.32÷3=2▢4▢4입니다.

21.72÷6

소수를 반올림하여 일의 자리까지 나타내면 ☐ ÷6이고,

바꾼 식의 몫을 어림하여 자연수로 나타내면 ☐ 이므로

21.72÷6=3▢6▢2입니다.

# 24 일 몫 어림하기 (2)

어림셈을 하여 알맞은 위치에 소수점을 찍어 보세요.

$7.38 \div 6$

어림 7 ÷ 6 ➡ 약 1

몫 1□2□3

$57.2 \div 4$

어림 □ ÷ □ ➡ 약 □

몫 1□4□3

$2.85 \div 3$

어림 □ ÷ □ ➡ 약 □

몫 0□9□5

$30.9 \div 3$

어림 □ ÷ □ ➡ 약 □

몫 1□0□3

$81.2 \div 2$

어림 □ ÷ □ ➡ 약 □

몫 4□0□6

$16.64 \div 8$

어림 □ ÷ □ ➡ 약 □

몫 2□0□8

$32.6 \div 4$

어림 □ ÷ □ ➡ 약 □

몫 8□1□5

$98.6 \div 5$

어림 □ ÷ □ ➡ 약 □

몫 1□9□7□2

몫을 어림하여 알맞은 위치에 소수점을 찍어 보세요.

$17 \div 4 = 4\square2\square5$

$14 \div 8 = 1\square7\square5$

$63 \div 5 = 1\square2\square6$

$20.1 \div 5 = 4\square0\square2$

$4.74 \div 3 = 1\square5\square8$

$42.84 \div 7 = 6\square1\square2$

$5.52 \div 8 = 0\square6\square9$

$83.3 \div 7 = 1\square1\square9$

$10.5 \div 6 = 1\square7\square5$

$35.2 \div 5 = 7\square0\square4$

$31.52 \div 2 = 1\square5\square7\square6$

$96.4 \div 8 = 1\square2\square0\square5$

$9.51 \div 6 = 1\square5\square8\square5$

$65.34 \div 3 = 2\square1\square7\square8$

# 소수점의 위치

몫을 어림하여 소수점의 위치가 올바른 몫을 찾아 ○표 하세요.

| $5.52 \div 3$ | $4.85 \div 5$ | $62.8 \div 2$ |
|---|---|---|
| 18.4<br>1.84<br>0.184 | 97<br>9.7<br>0.97 | 31.4<br>3.14<br>0.314 |

$6 \div 3 = 2$

| $39 \div 4$ | $86 \div 4$ | $35.04 \div 6$ |
|---|---|---|
| 97.5<br>9.75<br>0.975 | 21.5<br>2.15<br>0.215 | 58.4<br>5.84<br>0.584 |

| $7.6 \div 5$ | $8.12 \div 8$ | $42.64 \div 4$ |
|---|---|---|
| 15.2<br>1.52<br>0.152 | 101.5<br>10.15<br>1.015 | 106.6<br>10.66<br>1.066 |

월 일

어림을 하여 몫에 알맞은 식을 찾아 ○표 하세요.

| | |
|---|---|
| 1.2 | $36 \div 3$    $3.6 \div 3$    $0.36 \div 3$ |
| 3.78 | $18.9 \div 5$    $1.89 \div 5$    $189 \div 5$ |
| 1.04 | $83.2 \div 8$    $832 \div 8$    $8.32 \div 8$ |
| 12.65 | $5.06 \div 4$    $50.6 \div 4$    $506 \div 4$ |
| 2.57 | $15.42 \div 6$    $1.542 \div 6$    $154.2 \div 6$ |
| 23.45 | $7.035 \div 3$    $703.5 \div 3$    $70.35 \div 3$ |

몫을 어림하여 조건에 맞는 식에 모두 ○표 하세요.

| | | |
|---|---|---|
| $0.26 \div 2$ | $5.08 \div 4$ | $6.3 \div 7$ |
| $1.58 \div 2$ | $4.6 \div 4$ | $8.54 \div 7$ |
| $2.1 \div 2$ | $0.48 \div 4$ | $3.5 \div 7$ |

나누어지는 수와 나누는 수를 비교합니다.

| | | |
|---|---|---|
| $3.15 \div 3$ | $0.58 \div 5$ | $6.32 \div 8$ |
| $2.67 \div 3$ | $5.65 \div 5$ | $8.04 \div 8$ |
| $6.09 \div 3$ | $1.7 \div 5$ | $46.4 \div 8$ |

| | | |
|---|---|---|
| $40.8 \div 4$ | $5.05 \div 5$ | $62.46 \div 6$ |
| $38.24 \div 4$ | $51.25 \div 5$ | $9.36 \div 6$ |
| $5.8 \div 4$ | $45.6 \div 5$ | $70.35 \div 6$ |

연산원리 상황판단 복합사고 문제해결

하루 한 장 75일
집중 완성

# 교과 연산

정답

초6

# F1

분수와 소수의 나눗셈

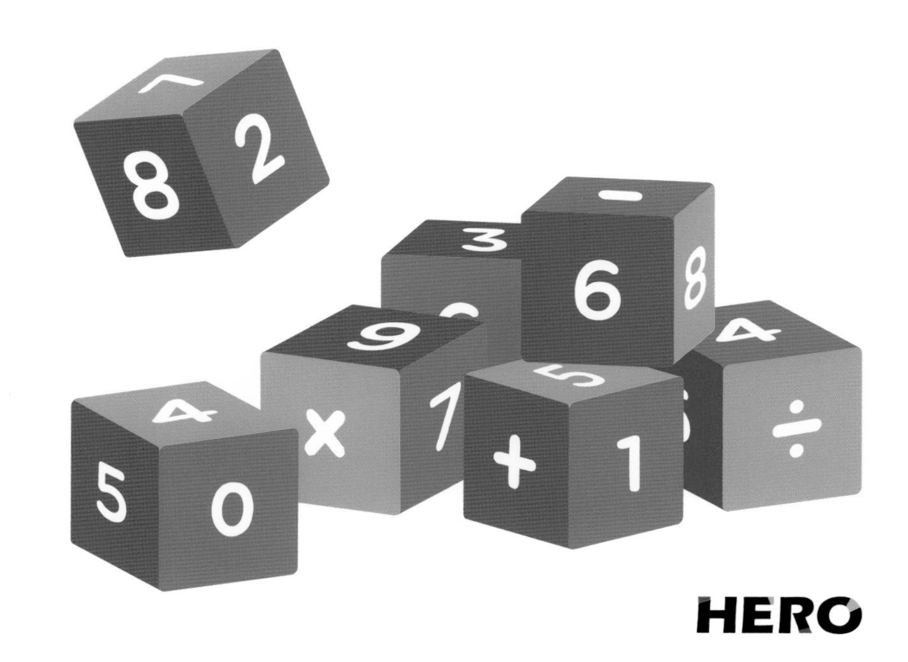

HERO

# 정답

# 정답

## 8·9쪽

### 01 수직선으로 나타내기

수직선을 이용하여 몫을 구해 보세요.

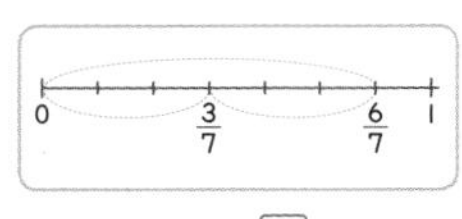

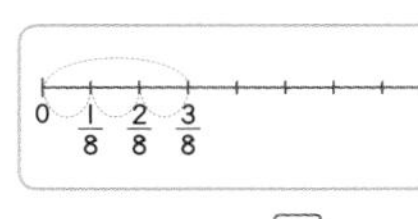

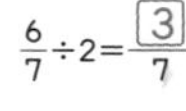

$\frac{6}{7}\div2=\frac{3}{7}$　　$\frac{3}{8}\div3=\frac{1}{8}$

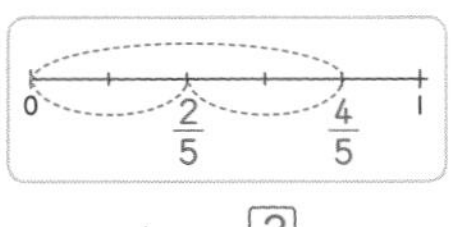

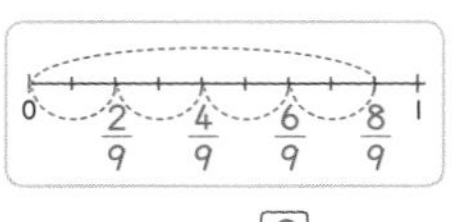

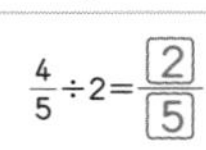

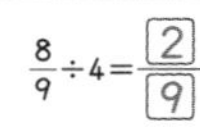

$\frac{4}{5}\div2=\frac{2}{5}$　　$\frac{8}{9}\div4=\frac{2}{9}$

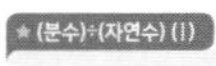

★ (분수)÷(자연수) (1)

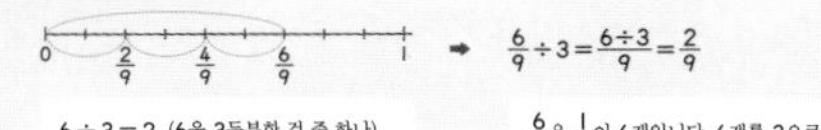

➡ $\frac{6}{9}\div3=\frac{6\div3}{9}=\frac{2}{9}$

$6\div3=2$ (6을 3등분한 것 중 하나)

$\frac{6}{9}\div3=\frac{2}{9}$ ($\frac{6}{9}$을 3등분한 것 중 하나)

➡ $\frac{6}{9}$은 $\frac{1}{9}$이 6개입니다. 6개를 3으로 나누면 $\frac{1}{9}$이 2개이므로 $\frac{6}{9}\div3=\frac{2}{9}$입니다.



월 일

다음과 같이 분자를 자연수로 나누어 계산해 보세요.

$\frac{4}{7}\div2=\frac{4\div2}{7}=\frac{2}{7}$

$\frac{9}{10}\div3=\frac{9\div3}{10}=\frac{3}{10}$

$\frac{5}{6}\div5=\frac{5\div5}{6}=\frac{1}{6}$

$\frac{14}{15}\div7=\frac{14\div7}{15}=\frac{2}{15}$

$\frac{4}{9}\div2=\frac{4\div2}{9}=\frac{2}{9}$

$\frac{12}{17}\div6=\frac{12\div6}{17}=\frac{2}{17}$

$\frac{6}{7}\div3=\frac{6\div3}{7}=\frac{2}{7}$

$\frac{8}{13}\div4=\frac{8\div4}{13}=\frac{2}{13}$

$\frac{10}{11}\div5=\frac{10\div5}{11}=\frac{2}{11}$

$\frac{9}{14}\div3=\frac{9\div3}{14}=\frac{3}{14}$



## 10·11쪽

### 02 그림으로 나타내기

그림으로 나타내고, 몫을 구해 보세요.

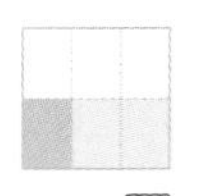

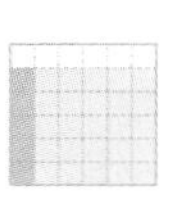

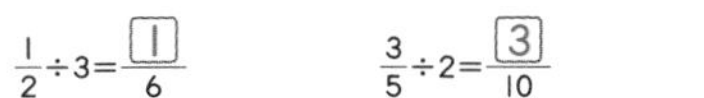

$\frac{1}{2}\div3=\frac{1}{6}$　　$\frac{3}{5}\div2=\frac{3}{10}$　　$\frac{5}{6}\div6=\frac{5}{36}$

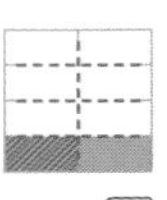

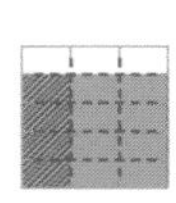

$\frac{1}{4}\div2=\frac{1}{8}$　　$\frac{4}{5}\div3=\frac{4}{15}$　　$\frac{5}{7}\div4=\frac{5}{28}$

$\frac{1}{4}$만큼 색칠하고, 색칠한 부분의 $\frac{1}{2}$만큼 다르게 표시합니다.

$\frac{4}{5}$만큼 색칠하고, 색칠한 부분의 $\frac{1}{3}$만큼 다르게 표시합니다.

$\frac{5}{7}$만큼 색칠하고, 색칠한 부분의 $\frac{1}{4}$만큼 다르게 표시합니다.

★ (분수)÷(자연수) (2)

$\frac{5}{6}=\frac{5\times3}{6\times3}=\frac{15}{18}$ ➡ $\frac{5}{6}\div3=\frac{15}{18}\div3$

$\frac{5}{6}\div3=\frac{15}{18}\div3=\frac{15\div3}{18}=\frac{5}{18}$

$\frac{5}{6}\div3$에서 5는 3으로 나누어떨어지지 않으므로 5를 3의 배수로 바꾸어 몫을 구할 수 있습니다.



월 일

다음과 같이 분자를 자연수의 배수로 나타내어 계산해 보세요.

$\frac{3}{5}\div4=\frac{12}{20}\div4=\frac{12\div4}{20}=\frac{3}{20}$

분자 3을 4의 배수인 12로 나타냅니다.

$\frac{1}{4}\div3=\frac{3}{12}\div3=\frac{3\div3}{12}=\frac{1}{12}$

$\frac{7}{8}\div5=\frac{35}{40}\div5=\frac{35\div5}{40}=\frac{7}{40}$

$\frac{9}{11}\div8=\frac{72}{88}\div8=\frac{72\div8}{88}=\frac{9}{88}$

$\frac{2}{7}\div7=\frac{14}{49}\div7=\frac{14\div7}{49}=\frac{2}{49}$

$\frac{4}{9}\div5=\frac{20}{45}\div5=\frac{20\div5}{45}=\frac{4}{45}$

## 12·13쪽

## 03 곱셈으로 나타내기

■ 빈칸에 알맞은 수를 써넣으세요.

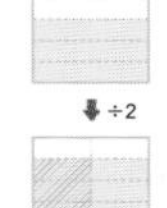

$\frac{3}{4}\div2$의 몫은 $\frac{3}{4}$을 2등분한 것 중의 하나이므로 $\frac{3}{4}$의 $\frac{1}{2}$입니다.

따라서 $\frac{3}{4}\div2=\frac{3}{4}\times\frac{1}{2}=\frac{3}{8}$입니다.

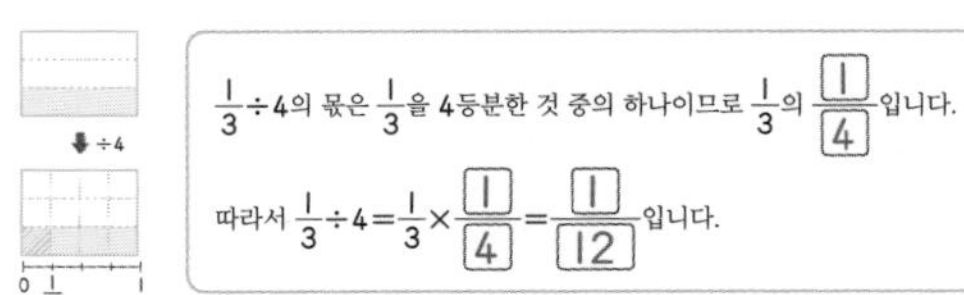

$\frac{1}{3}\div4$의 몫은 $\frac{1}{3}$을 4등분한 것 중의 하나이므로 $\frac{1}{3}$의 $\frac{1}{4}$입니다.

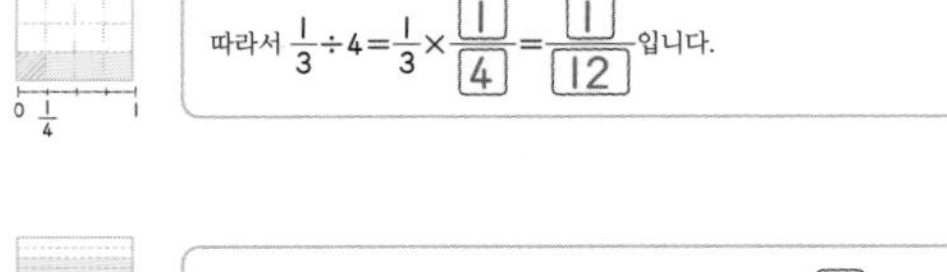

따라서 $\frac{1}{3}\div4=\frac{1}{3}\times\frac{1}{4}=\frac{1}{12}$입니다.

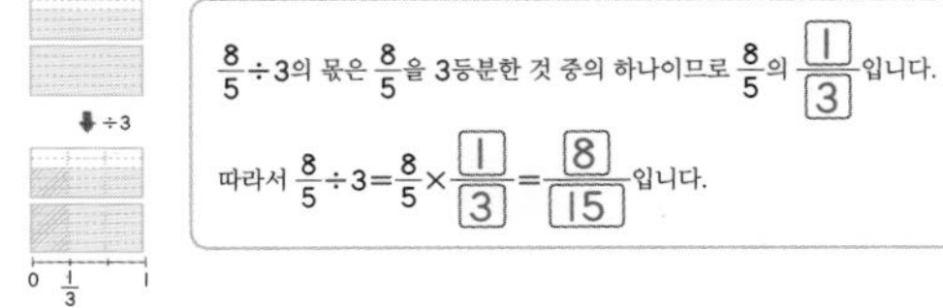

$\frac{8}{5}\div3$의 몫은 $\frac{8}{5}$을 3등분한 것 중의 하나이므로 $\frac{8}{5}$의 $\frac{1}{3}$입니다.

따라서 $\frac{8}{5}\div3=\frac{8}{5}\times\frac{1}{3}=\frac{8}{15}$입니다.

■ 다음과 같이 나눗셈을 곱셈으로 나타내어 계산해 보세요.

$\frac{2}{7}\div4=\frac{2}{7}\times\frac{1}{4}=\frac{1}{14}$

$\frac{1}{2}\div7=\frac{1}{2}\times\frac{1}{7}=\frac{1}{14}$

$\frac{5}{6}\div3=\frac{5}{6}\times\frac{1}{3}=\frac{5}{18}$

$\frac{3}{10}\div9=\frac{3}{10}\times\frac{1}{9}=\frac{1}{30}$ $(=\frac{3}{90})$

$\frac{9}{5}\div4=\frac{9}{5}\times\frac{1}{4}=\frac{9}{20}$

$\frac{14}{9}\div6=\frac{14}{9}\times\frac{1}{6}=\frac{7}{27}$ $(=\frac{14}{54})$

$\frac{4}{7}\div5=\frac{4}{7}\times\frac{1}{5}=\frac{4}{35}$

$\frac{7}{9}\div2=\frac{7}{9}\times\frac{1}{2}=\frac{7}{18}$

$\frac{8}{3}\div6=\frac{8}{3}\times\frac{1}{6}=\frac{4}{9}$ $(=\frac{8}{18})$

$\frac{15}{8}\div3=\frac{15}{8}\times\frac{1}{3}=\frac{5}{8}$ $(=\frac{15}{24})$





## 14·15쪽

## 04 분수의 나눗셈

■ 계산해 보세요.

$\frac{8}{9}\div2=\frac{4}{9}$ $(=\frac{8}{18})$

$\frac{9}{11}\div3=\frac{3}{11}$ $(=\frac{9}{33})$

$\frac{10}{13}\div5=\frac{2}{13}$ $(=\frac{10}{65})$

$\frac{8}{15}\div4=\frac{2}{15}$ $(=\frac{8}{60})$

$\frac{1}{3}\div7=\frac{1}{21}$

$\frac{2}{5}\div3=\frac{2}{15}$

$\frac{5}{7}\div2=\frac{5}{14}$

$\frac{3}{8}\div4=\frac{3}{32}$

$\frac{7}{10}\div6=\frac{7}{60}$

$\frac{4}{9}\div8=\frac{1}{18}$ $(=\frac{4}{72})$

$\frac{6}{5}\div3=\frac{2}{5}$ $(=\frac{6}{15})$

$\frac{10}{7}\div9=\frac{10}{63}$

$\frac{7}{6}\div5=\frac{7}{30}$

$\frac{11}{8}\div7=\frac{11}{56}$

■ 계산 결과가 같은 식에 ○표 하세요.

$\frac{3}{4}\div7$ — $\frac{4}{3}\div7$, $\frac{4}{3}\times7$, ($\frac{21}{28}\div7$), $\frac{21}{35}\div7$

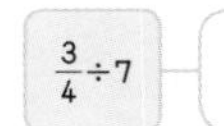

$\frac{3}{4}\div7=\frac{21}{28}\div7$

$\frac{8}{9}\div4$ — $\frac{6}{9}\div2$, ($\frac{4}{9}\div2$), $\frac{4}{9}\div8$, $\frac{2}{9}\div4$

$\frac{8\div4}{9}=\frac{2}{9}$ $\frac{4\div2}{9}=\frac{2}{9}$

$\frac{2}{5}\div6$ — ($\frac{2}{5}\times\frac{1}{6}$), $\frac{5}{2}\times\frac{1}{6}$, $\frac{5}{2}\times6$, $\frac{2}{5}\times6$

$\frac{2}{5}\div6=\frac{2}{5}\times\frac{1}{6}$

$\frac{5}{7}\div4$ — $\frac{7}{5}\div4$, $\frac{4}{7}\div5$, $\frac{7}{4}\div5$, ($\frac{5}{4}\div7$)

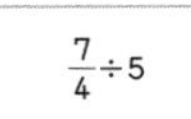

$\frac{5}{7}\div4=\frac{5}{7}\times\frac{1}{4}$ $\frac{5}{4}\div7=\frac{5}{4}\times\frac{1}{7}$

$\frac{9}{4}\div5$ — $\frac{5}{4}\div9$, ($\frac{9}{5}\div4$), $\frac{9}{8}\div10$, $\frac{4}{9}\div5$

$\frac{9}{4}\div5=\frac{9}{4}\times\frac{1}{5}$ $\frac{9}{5}\div4=\frac{9}{5}\times\frac{1}{4}$

## 16·17쪽

### 05일 이야기하기

물음에 답하세요.

민서가 주스 $\frac{5}{6}$L를 4일 동안 똑같이 나누어 마시려고 합니다. 하루에 주스를 몇 L 마실 수 있을까요?

식 $\frac{5}{6}\div4=\frac{5}{24}$ 답 $\frac{5}{24}$ L

넓이가 $\frac{7}{3}$m²인 직사각형의 가로가 3m입니다. 이 직사각형의 세로는 몇 m일까요?

식 $\frac{7}{3}\div3=\frac{7}{9}$ 답 $\frac{7}{9}$ m

무게가 모두 같은 감자 4개의 무게가 $\frac{8}{9}$kg입니다. 감자 1개의 무게는 몇 kg일까요?

식 $\frac{8}{9}\div4=\frac{2}{9}$ 또는 $\frac{8}{9}\div4=\frac{8}{36}$ 답 $\frac{2}{9}$ kg $(=\frac{8}{36})$

철사 $\frac{6}{7}$m를 모두 사용하여 정삼각형 모양을 만들었습니다. 이 정삼각형 한 변의 길이는 몇 m일까요?

식 $\frac{6}{7}\div3=\frac{2}{7}$ 또는 $\frac{6}{7}\div3=\frac{6}{21}$ 답 $\frac{2}{7}$ m $(=\frac{6}{21})$





물음에 답하세요.

밀가루 $\frac{9}{10}$kg을 병 2개에 똑같이 나누어 담은 다음, 한 병에 들어 있는 밀가루를 모두 사용하여 똑같은 케이크 3개를 만들었습니다. 케이크 1개를 만드는 데 사용한 밀가루는 몇 kg인지 물음에 답하세요.

한 병에 담은 밀가루는 몇 kg인가요? ( $\frac{9}{20}$kg )

$\frac{9}{10}\div2=\frac{9}{20}$

케이크 1개를 만드는 데 사용한 밀가루는 몇 kg인가요? ( $\frac{3}{20}$kg ) $(=\frac{9}{60}$kg$)$

$\frac{9}{20}\div3=\frac{3}{20}$ $(=\frac{9}{60})$

끈 $\frac{8}{5}$m를 모두 사용하여 크기가 똑같은 정사각형 2개를 만들었습니다. 이 정사각형 한 변의 길이는 몇 m인지 물음에 답하세요.

정사각형 1개를 만드는 데 사용한 끈은 몇 m인가요? ( $\frac{4}{5}$m ) $(=\frac{8}{10}$m$)$

$\frac{8}{5}\div2=\frac{4}{5}$ $(=\frac{8}{10})$

정사각형 한 변의 길이는 몇 m인가요? ( $\frac{1}{5}$m ) $(=\frac{4}{20}$m, $\frac{8}{40}$m$)$

$\frac{4}{5}\div4=\frac{1}{5}$ $(=\frac{4}{20})$



## 18쪽

수 카드 3장을 모두 사용하여 계산 결과가 가장 작은 나눗셈식을 만들고, 계산해 보세요.

1 2 3

$\frac{1}{2}\div3=\frac{1}{6}$

또는 $\frac{1}{3}\div2=\frac{1}{6}$

7 6 5

$\frac{5}{6}\div7=\frac{5}{42}$

또는 $\frac{5}{7}\div6=\frac{5}{42}$

3 2 5

$\frac{2}{3}\div5=\frac{2}{15}$

또는 $\frac{2}{5}\div3=\frac{2}{15}$

7 3 8

$\frac{3}{7}\div8=\frac{3}{56}$

또는 $\frac{3}{8}\div7=\frac{3}{56}$

8 5 9

$\frac{5}{8}\div9=\frac{5}{72}$

또는 $\frac{5}{9}\div8=\frac{5}{72}$

4 8 3

$\frac{3}{4}\div8=\frac{3}{32}$

또는 $\frac{3}{8}\div4=\frac{3}{32}$

20·21쪽

## 06 (대분수)÷(자연수)

월 일

다음과 같이 대분수를 가분수로 바꾸고, 분자를 자연수의 배수로 나타내어 계산해 보세요.

$2\frac{1}{4}\div5=\frac{9}{4}\div5=\frac{45}{20}\div5=\frac{45\div5}{20}=\frac{9}{20}$

분자를 5의 배수로 바꾸었습니다.

$1\frac{4}{5}\div3=\frac{\boxed{9}}{5}\div3=\frac{\boxed{9}\div3}{5}=\frac{\boxed{3}}{5}$

$3\frac{1}{6}\div4=\frac{\boxed{19}}{6}\div4=\frac{\boxed{76}}{24}\div4=\frac{\boxed{76}\div4}{24}=\frac{\boxed{19}}{\boxed{24}}$

$2\frac{3}{5}\div3=\frac{\boxed{13}}{5}\div3=\frac{\boxed{39}}{15}\div3=\frac{\boxed{39}\div\boxed{3}}{15}=\frac{\boxed{13}}{\boxed{15}}$

$2\frac{2}{7}\div8=\frac{16}{7}\div8=\frac{16\div8}{7}=\frac{2}{7}$

$3\frac{3}{4}\div4=\frac{15}{4}\div4=\frac{60}{16}\div4=\frac{60\div4}{16}=\frac{15}{16}$

다음과 같이 대분수를 가분수로 바꾸고, 나눗셈을 곱셈으로 나타내어 계산해 보세요.

$2\frac{1}{4}\div5=\frac{9}{4}\div5=\frac{9}{4}\times\frac{1}{5}=\frac{9}{20}$

$1\frac{5}{6}\div2=\frac{\boxed{11}}{6}\div2=\frac{\boxed{11}}{6}\times\frac{1}{\boxed{2}}=\frac{\boxed{11}}{\boxed{12}}$

$4\frac{1}{2}\div4=\frac{\boxed{9}}{2}\div4=\frac{\boxed{9}}{2}\times\frac{1}{\boxed{4}}=\boxed{1}\frac{\boxed{1}}{\boxed{8}}$

$3\frac{3}{5}\div8=\frac{\boxed{18}}{5}\div8=\frac{\boxed{18}}{5}\times\frac{\boxed{1}}{\boxed{8}}=\frac{\boxed{9}}{\boxed{20}}$ $(=\frac{18}{40})$

$5\frac{2}{3}\div6=\frac{17}{3}\div6=\frac{17}{3}\times\frac{1}{6}=\frac{17}{18}$

$2\frac{5}{8}\div7=\frac{21}{8}\div7=\frac{21}{8}\times\frac{1}{7}=\frac{3}{8}$ $(=\frac{21}{56})$





22·23쪽

## 07 분수의 나눗셈

월 일

계산해 보세요.

$2\frac{1}{4}\div3=\frac{3}{4}$ $(=\frac{9}{12})$

$1\frac{7}{9}\div4=\frac{4}{9}$ $(=\frac{16}{36})$

$3\frac{3}{7}\div9=\frac{8}{21}$ $(=\frac{24}{63})$

$6\frac{1}{8}\div7=\frac{7}{8}$ $(=\frac{49}{56})$

$2\frac{1}{3}\div4=\frac{7}{12}$

$4\frac{5}{6}\div5=\frac{29}{30}$

$3\frac{1}{6}\div6=\frac{19}{36}$

$4\frac{2}{7}\div5=\frac{6}{7}$ $(=\frac{30}{35})$

$3\frac{3}{4}\div6=\frac{5}{8}$ $(=\frac{15}{24})$

$6\frac{4}{5}\div8=\frac{17}{20}$ $(=\frac{34}{40})$

$5\frac{5}{7}\div6=\frac{20}{21}$ $(=\frac{40}{42})$

$1\frac{4}{9}\div7=\frac{13}{63}$

$5\frac{1}{4}\div2=2\frac{5}{8}$ $(=\frac{21}{8})$

$3\frac{4}{9}\div3=1\frac{4}{27}$ $(=\frac{31}{27})$

빈 곳에 알맞은 분수를 써넣으세요.

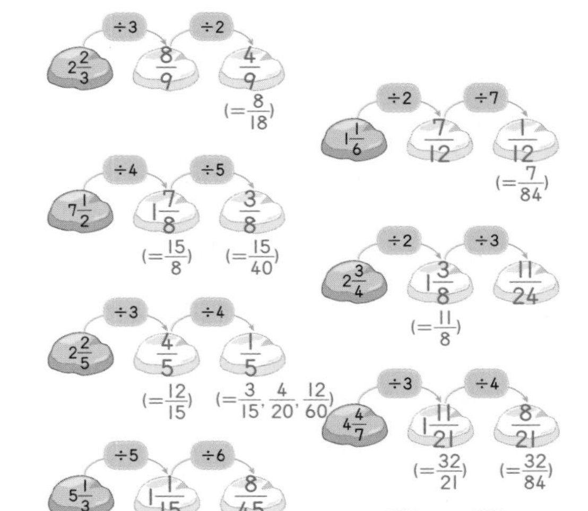

# 정답



## 08 계산 결과 비교하기

계산 결과를 비교하여 ○ 안에 >, =, <를 알맞게 써넣으세요.

- $\frac{8}{3}\div2$ (<) $3\frac{1}{3}\div2$ — $\frac{4}{3}$, $\frac{5}{3}$
- $2\frac{2}{5}\div3$ (>) $\frac{9}{5}\div3$ — $\frac{4}{5}$, $\frac{3}{5}$

나누는 수가 같으면 나누어지는 수가 클수록 몫이 커집니다.

- $2\frac{2}{3}\div4$ (=) $\frac{4}{3}\div2$ — $\frac{2}{3}$, $\frac{2}{3}$
- $\frac{18}{7}\div3$ (>) $4\frac{2}{7}\div6$ — $\frac{6}{7}$, $\frac{5}{7}$
- $1\frac{4}{5}\div5$ (<) $2\frac{1}{5}\div5$ — $\frac{9}{25}$, $\frac{11}{25}$
- $8\frac{1}{4}\div7$ (<) $5\frac{1}{7}\div4$ — $\frac{33}{28}$, $\frac{36}{28}$
- $3\frac{3}{4}\div2$ (<) $8\frac{1}{2}\div4$ — $\frac{15}{8}$, $\frac{17}{8}$
- $2\frac{3}{8}\div3$ (>) $4\frac{1}{4}\div6$ — $\frac{19}{24}$, $\frac{17}{24}$
- $3\frac{5}{6}\div2$ (>) $5\frac{1}{4}\div3$ — $\frac{23}{12}$, $\frac{21}{12}$
- $6\frac{2}{3}\div8$ (=) $1\frac{2}{3}\div2$ — $\frac{5}{6}$, $\frac{5}{6}$
- $3\frac{7}{9}\div4$ (<) $6\frac{1}{3}\div6$ — $\frac{17}{18}$, $\frac{19}{18}$
- $5\frac{1}{5}\div4$ (>) $6\frac{3}{5}\div6$ — $\frac{13}{10}$, $\frac{11}{10}$

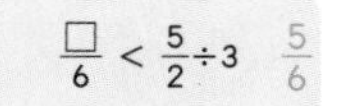

□ 안에 들어갈 수 있는 자연수를 모두 써 보세요.

- $\frac{□}{6} < \frac{5}{2}\div3$ — $\frac{5}{6}$ — ( 1, 2, 3, 4 )
- $\frac{□}{8} < \frac{21}{8}\div7$ — $\frac{3}{8}$ — ( 1, 2 )
- $\frac{□}{15} < 1\frac{1}{3}\div5$ — $\frac{4}{15}$ — ( 1, 2, 3 )
- $\frac{□}{7} < 2\frac{6}{7}\div5$ — $\frac{4}{7}$ — ( 1, 2, 3 )
- $\frac{□}{5} < 1\frac{1}{5}\div2$ — $\frac{3}{5}$ — ( 1, 2 )
- $\frac{□}{25} < 1\frac{1}{5}\div5$ — $\frac{6}{25}$ — ( 1, 2, 3, 4, 5 )
- $\frac{□}{10} < 2\frac{4}{5}\div4$ — $\frac{7}{10}$ — ( 1, 2, 3, 4, 5, 6 )
- $\frac{□}{18} < 2\frac{2}{9}\div8$ — $\frac{5}{18}$ — ( 1, 2, 3, 4 )







## 09 □가 있는 식

빈칸에 알맞은 수를 써넣으세요.

- $\boxed{\frac{1}{7}}\times3=\frac{3}{7}$ — $\frac{3}{7}\div3=\frac{1}{7}$ $(=\frac{3}{21})$
- $\boxed{\frac{5}{24}}\times4=\frac{5}{6}$ — $\frac{5}{6}\div4=\frac{5}{24}$

곱셈식은 나눗셈식으로 나타낼 수 있습니다.

- $\boxed{\frac{2}{3}}\times5=3\frac{1}{3}$ — $\frac{10}{3}\div5=\frac{2}{3}$ $(=\frac{10}{15})$
- $\boxed{\frac{3}{5}}\times6=3\frac{3}{5}$ — $\frac{18}{5}\div6=\frac{3}{5}$ $(=\frac{18}{30})$
- $\boxed{\frac{7}{12}}\times6=3\frac{1}{2}$ — $\frac{7}{2}\div6=\frac{7}{12}$
- $\boxed{1\frac{7}{15}}\times5=7\frac{1}{3}$ — $\frac{22}{3}\div5=1\frac{7}{15}$ $(=\frac{22}{15})$
- $4\times\boxed{\frac{2}{9}}=\frac{8}{9}$ — $\frac{8}{9}\div4=\frac{2}{9}$ $(=\frac{8}{36})$
- $3\times\boxed{\frac{5}{12}}=1\frac{1}{4}$ — $\frac{5}{4}\div3=\frac{5}{12}$
- $6\times\boxed{\frac{7}{9}}=4\frac{2}{3}$ — $\frac{14}{3}\div6=\frac{7}{9}$ $(=\frac{14}{18})$
- $5\times\boxed{1\frac{2}{15}}=5\frac{2}{3}$ — $\frac{17}{3}\div5=\frac{17}{15}$ $(=\frac{17}{15})$
- $2\times\boxed{1\frac{3}{10}}=2\frac{3}{5}$ — $\frac{13}{5}\div2=\frac{13}{10}$ $(=\frac{13}{10})$
- $8\times\boxed{\frac{9}{14}}=5\frac{1}{7}$ — $\frac{36}{7}\div8=\frac{9}{14}$ $(=\frac{36}{56})$

나눗셈식으로 나타내고 답을 구해 보세요.

가로가 6cm이고 넓이가 $\frac{40}{3}$cm²인 직사각형의 세로는 몇 cm일까요?

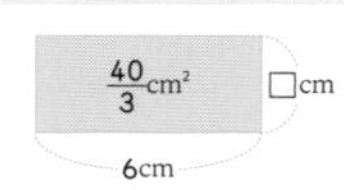


식 $\frac{40}{3}\div6=2\frac{2}{9}$

답 $2\frac{2}{9}$ cm $(=\frac{20}{9}, \frac{40}{18}, 2\frac{4}{18})$

둘레가 $8\frac{1}{3}$cm인 정사각형의 한 변의 길이는 몇 cm일까요?

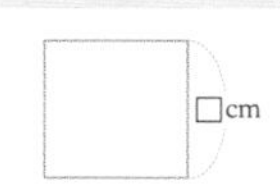


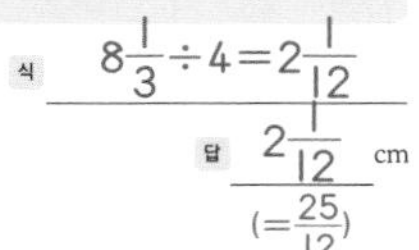

식 $8\frac{1}{3}\div4=2\frac{1}{12}$

답 $2\frac{1}{12}$ cm $(=\frac{25}{12})$

둘레가 $9\frac{3}{4}$cm인 정육각형의 한 변의 길이는 몇 cm일까요?

식 $9\frac{3}{4}\div6=1\frac{5}{8}$

답 $1\frac{5}{8}$ cm $(=\frac{13}{8}, \frac{39}{24}, 1\frac{15}{24})$

## 28 • 29 쪽

### 10 이야기하기

월 일

물음에 답하세요.

찰흙 $2\frac{1}{4}$kg을 똑같이 8덩어리로 나누었습니다. 찰흙 한 덩어리는 몇 kg일까요?

식 $2\frac{1}{4}\div 8=\frac{9}{32}$ 답 $\frac{9}{32}$ kg

하은이는 3시간 동안 $9\frac{1}{2}$km를 걸었습니다. 일정한 빠르기로 걸었다면 1시간 동안 걸은 거리는 몇 km일까요?

식 $9\frac{1}{2}\div 3=3\frac{1}{6}$ 또는 $9\frac{1}{2}\div 3=\frac{19}{6}$ 답 $3\frac{1}{6}$ km $(=\frac{19}{6})$

카레 5인분을 만드는 데 양파 $2\frac{1}{7}$개가 필요합니다. 카레 1인분을 만드는 데 필요한 양파는 몇 개일까요?

식 $2\frac{1}{7}\div 5=\frac{3}{7}$ 또는 $2\frac{1}{7}\div 5=\frac{15}{35}$ 답 $\frac{3}{7}$ 개 $(=\frac{15}{35})$

페인트 4통으로 담장 $5\frac{3}{4}$m²를 칠했습니다. 페인트 한 통으로 칠한 담장의 넓이는 몇 m²일까요?

식 $5\frac{3}{4}\div 4=1\frac{7}{16}$ 또는 $5\frac{3}{4}\div 4=\frac{23}{16}$ 답 $1\frac{7}{16}$ m² $(=\frac{23}{16})$

물음에 답하세요.

무게가 같은 사과 5개의 무게가 $1\frac{3}{7}$kg입니다. 사과 2개의 무게는 몇 kg일까요?

사과 1개의 무게를 구합니다.

사과 1개의 무게: $1\frac{3}{7}\div 5=\frac{2}{7}$(kg)

사과 2개의 무게: $\frac{2}{7}\times 2=\frac{4}{7}$(kg)

( $\frac{4}{7}$kg ) $(=\frac{20}{35}$kg)

한 봉지에 설탕 $\frac{4}{5}$kg이 들어 있습니다. 6봉지에 들어 있는 설탕을 4명이 똑같이 나누어 가진다면 한 명이 가질 수 있는 설탕은 몇 kg일까요?

6봉지에 들어 있는 설탕: $\frac{4}{5}\times 6=\frac{24}{5}$(kg)

1명이 가지는 설탕: $\frac{24}{5}\div 4=1\frac{1}{5}$(kg)

( $1\frac{1}{5}$kg ) $(=\frac{6}{5}$kg, $\frac{24}{20}$kg, $1\frac{4}{20}$kg)

식용유를 어제 $\frac{3}{5}$L 사고, 오늘 $1\frac{1}{5}$L 샀습니다. 어제와 오늘 산 식용유를 3병에 똑같이 나누어 담았습니다. 한 병에 담은 식용유는 몇 L일까요?

어제와 오늘 산 식용유: $\frac{3}{5}+1\frac{1}{5}=1\frac{4}{5}$(L)

1병에 담긴 식용유: $1\frac{4}{5}\div 3=\frac{3}{5}$(L)

( $\frac{3}{5}$L ) $(=\frac{9}{15}$L)

배 5개가 들어 있는 상자 전체의 무게가 $3\frac{1}{9}$kg입니다. 빈 상자의 무게가 $\frac{8}{9}$kg이고, 배의 무게가 모두 같다면 배 한 개는 몇 kg일까요?

배 5개의 무게: $3\frac{1}{9}-\frac{8}{9}=2\frac{2}{9}$(kg)

배 1개의 무게: $2\frac{2}{9}\div 5=\frac{4}{9}$(kg)

( $\frac{4}{9}$kg ) $(=\frac{20}{45}$kg)





## 30 쪽

물음에 답하세요.

넓이가 $9\frac{1}{2}$cm²인 직사각형을 똑같이 5등분하였습니다. 색칠한 부분의 넓이는 몇 cm²일까요?

한 부분의 넓이를 구합니다.

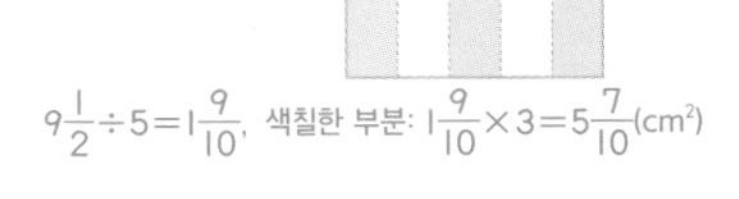

$9\frac{1}{2}\div 5=1\frac{9}{10}$, 색칠한 부분: $1\frac{9}{10}\times 3=5\frac{7}{10}$(cm²)

( $5\frac{7}{10}$cm² ) $(=\frac{57}{10}$cm²)

수직선에서 0과 $1\frac{1}{4}$ 사이를 똑같이 3등분했습니다. ㉠에 알맞은 수는 얼마일까요?

0, $\frac{5}{12}$, ㉠ $\frac{5}{6}$, $1\frac{1}{4}$

$1\frac{1}{4}\div 3=\frac{5}{12}$, ㉠: $\frac{5}{12}\times 2=\frac{5}{6}$

( $\frac{5}{6}$ ) $(=\frac{10}{12})$

밑변이 4cm이고 넓이가 $6\frac{2}{3}$cm²인 삼각형의 높이는 몇 cm일까요?

삼각형 넓이의 2배는 밑변과 높이가 같은 평행사변형의 넓이입니다.

4cm

$6\frac{2}{3}\times 2=13\frac{1}{3}$

삼각형의 높이: $13\frac{1}{3}\div 4=3\frac{1}{3}$(cm)

( $3\frac{1}{3}$cm ) $(=\frac{10}{3}$cm, $\frac{40}{12}$cm, $3\frac{4}{12}$cm)

## 32 • 33쪽

### 11 분수로 계산하기

월 일

소수의 나눗셈을 분수의 나눗셈으로 바꾸어 계산해 보세요.

$7.5 \div 5 = \frac{75}{10} \div 5 = \frac{\boxed{75} \div 5}{10} = \frac{\boxed{15}}{10} = \boxed{1.5}$

$93.2 \div 4 = \frac{\boxed{932}}{10} \div 4 = \frac{\boxed{932} \div 4}{10} = \frac{\boxed{233}}{10} = \boxed{23.3}$

$12.39 \div 3 = \frac{\boxed{1239}}{100} \div 3 = \frac{\boxed{1239} \div \boxed{3}}{100} = \frac{\boxed{413}}{100} = \boxed{4.13}$

$1.68 \div 7 = \frac{\boxed{168}}{100} \div 7 = \frac{\boxed{168} \div \boxed{7}}{100} = \frac{\boxed{24}}{100} = \boxed{0.24}$

$0.72 \div 6 = \frac{\boxed{72}}{100} \div 6 = \frac{\boxed{72} \div \boxed{6}}{100} = \frac{\boxed{12}}{100} = \boxed{0.12}$

**★ 소수를 분수로 나타내기**

소수 한 자리 수는 분모가 10인 분수로, 소수 두 자리 수는 분모가 100인 분수로 나타낼 수 있습니다.

$0.3 = \frac{3}{10}$ $2.6 = \frac{26}{10}$ $15.2 = \frac{152}{10}$ $0.07 = \frac{7}{100}$ $0.53 = \frac{53}{100}$ $32.05 = \frac{3205}{100}$



다음과 같이 소수의 나눗셈을 분수의 나눗셈으로 바꾸어 계산해 보세요.

$35.25 \div 3 = \frac{3525}{100} \div 3 = \frac{3525 \div 3}{100} = \frac{1175}{100} = 11.75$

$43.6 \div 2 = \frac{436}{10} \div 2 = \frac{436 \div 2}{10} = \frac{218}{10} = 21.8$

$6.85 \div 5 = \frac{685}{100} \div 5 = \frac{685 \div 5}{100} = \frac{137}{100} = 1.37$

$36.84 \div 6 = \frac{3684}{100} \div 6 = \frac{3684 \div 6}{100} = \frac{614}{100} = 6.14$

$1.16 \div 4 = \frac{116}{100} \div 4 = \frac{116 \div 4}{100} = \frac{29}{100} = 0.29$

$0.81 \div 3 = \frac{81}{100} \div 3 = \frac{81 \div 3}{100} = \frac{27}{100} = 0.27$



## 34 • 35쪽

### 12 자연수로 계산하기

월 일

자연수의 나눗셈을 이용하여 소수의 나눗셈을 계산해 보세요.

$96 \div 6 = \boxed{16}$ ($\frac{1}{10}$배, $\frac{1}{10}$배)
$9.6 \div 6 = \boxed{1.6}$

나누어지는 수가 $\frac{1}{10}$배 되면 몫도 $\frac{1}{10}$배가 됩니다.

$924 \div 2 = \boxed{462}$ ($\frac{1}{100}$배, $\frac{1}{100}$배)
$9.24 \div 2 = \boxed{4.62}$

$381 \div 3 = \boxed{127}$ ($\frac{1}{10}$배, $\boxed{\frac{1}{10}}$배)
$38.1 \div 3 = \boxed{12.7}$

$6376 \div 4 = \boxed{1594}$ ($\frac{1}{100}$배, $\boxed{\frac{1}{100}}$배)
$63.76 \div 4 = \boxed{15.94}$

$532 \div 7 = \boxed{76}$ ($\boxed{\frac{1}{10}}$배, $\frac{1}{10}$배)
$53.2 \div 7 = \boxed{7.6}$

$85 \div 5 = \boxed{17}$ ($\boxed{\frac{1}{100}}$배, $\frac{1}{100}$배)
$0.85 \div 5 = \boxed{0.17}$

$24 \div 8 = \boxed{3}$ ($\boxed{\frac{1}{10}}$배, $\boxed{\frac{1}{10}}$배)
$2.4 \div 8 = \boxed{0.3}$

$402 \div 6 = \boxed{67}$ ($\boxed{\frac{1}{100}}$배, $\boxed{\frac{1}{100}}$배)
$4.02 \div 6 = \boxed{0.67}$



계산해 보세요. (몫은 소수로 나타냅니다.)

$7.6 \div 4 = 1.9$ $0.9 \div 3 = 0.3$

$65.1 \div 3 = 21.7$ $4.5 \div 5 = 0.9$

$16.5 \div 5 = 3.3$ $3.44 \div 4 = 0.86$

$7.96 \div 2 = 3.98$ $0.84 \div 6 = 0.14$

$86.52 \div 7 = 12.36$ $1.56 \div 3 = 0.52$

$25.44 \div 8 = 3.18$ $5.67 \div 9 = 0.63$

$32.76 \div 6 = 5.46$ $0.56 \div 4 = 0.14$

36·37쪽

## 13 세로로 계산하기

월 일

빈칸에 알맞은 수를 써넣으세요.

- 9.3 / 5)46.5 / [45] / 15 / [15] / 0
- [0.37] / 8)2.96 / [24] / [56] / 56 / 0
- 0.19 / 3)0.57 / [3] / [27] / [27] / 0
- [2.39] / 2)4.78 / 4 / 7 / [6] / [18] / 18 / 0
- 5.48 / 6)32.88 / [30] / 28 / [24] / 48 / [48] / 0
- [2.49] / 7)17.43 / [14] / [34] / 28 / [63] / [63] / 0

**세로로 계산하기**

자연수의 나눗셈과 같은 방법으로 계산하고, 나누어지는 수의 소수점 위치에 맞추어 몫에 소수점을 올려 찍습니다.

562 / 3)1686 / 15 / 18 / 18 / 6 / 6 / 0 ➡ 5.62 / 3)16.86 / 15 / 18 / 18 / 6 / 6 / 0

49 / 5)245 / 20 / 45 / 45 / 0 ➡ 0.49 / 5)2.45 / 20 / 45 / 45 / 0

몫이 1보다 작으면 자연수 자리에 0을 씁니다.

계산해 보세요.

- 19.6 / 4)78.4 / 4 / 38 / 36 / 24 / 24 / 0
- 6.7 / 6)40.2 / 36 / 42 / 42 / 0
- 2.84 / 3)8.52 / 6 / 25 / 24 / 12 / 12 / 0
- 2.59 / 4)10.36 / 8 / 23 / 20 / 36 / 36 / 0
- 0.23 / 6)1.38 / 12 / 18 / 18 / 0
- 0.54 / 4)2.16 / 20 / 16 / 16 / 0
- 0.76 / 8)6.08 / 56 / 48 / 48 / 0
- 7.61 / 5)38.05 / 35 / 30 / 30 / 5 / 5 / 0
- 0.18 / 3)0.54 / 3 / 24 / 24 / 0
- 0.14 / 7)0.98 / 7 / 28 / 28 / 0
- 0.12 / 6)0.72 / 6 / 12 / 12 / 0
- 26.88 / 2)53.76 / 4 / 13 / 12 / 17 / 16 / 16 / 16 / 0





38·39쪽

## 14 수 카드 나눗셈

월 일

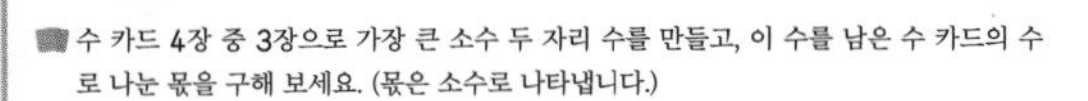

수 카드 4장 중 3장으로 가장 큰 소수 두 자리 수를 만들고, 이 수를 남은 수 카드의 수로 나눈 몫을 구해 보세요. (몫은 소수로 나타냅니다.)

- 2 4 5 7: [7.54] ÷ [2] = 3.77
- 8 6 4 3: [8.64] ÷ [3] = 2.88
- 9 6 7 4: [9.76] ÷ [4] = 2.44
- 4 2 9 8: [9.84] ÷ [2] = 4.92
- 8 6 7 2: [8.76] ÷ [2] = 4.38
- 5 3 6 7: [7.65] ÷ [3] = 2.55
- 3 8 9 7: [9.87] ÷ [3] = 3.29
- 7 8 6 4: [8.76] ÷ [4] = 2.19

수 카드 4장 중 3장으로 가장 작은 소수 두 자리 수를 만들고, 이 수를 남은 수 카드의 수로 나눈 몫을 구해 보세요. (몫은 소수로 나타냅니다.)

- 1 3 6 8: [1.36] ÷ [8] = 0.17
- 9 5 7 6: [5.67] ÷ [9] = 0.63
- 6 4 8 5: [4.56] ÷ [8] = 0.57
- 2 1 6 7: [1.26] ÷ [7] = 0.18
- 7 9 3 8: [3.78] ÷ [9] = 0.42
- 6 4 3 2: [2.34] ÷ [6] = 0.39
- 5 2 7 4: [2.45] ÷ [7] = 0.35
- 3 5 1 9: [1.35] ÷ [9] = 0.15

# 정답

40·41쪽

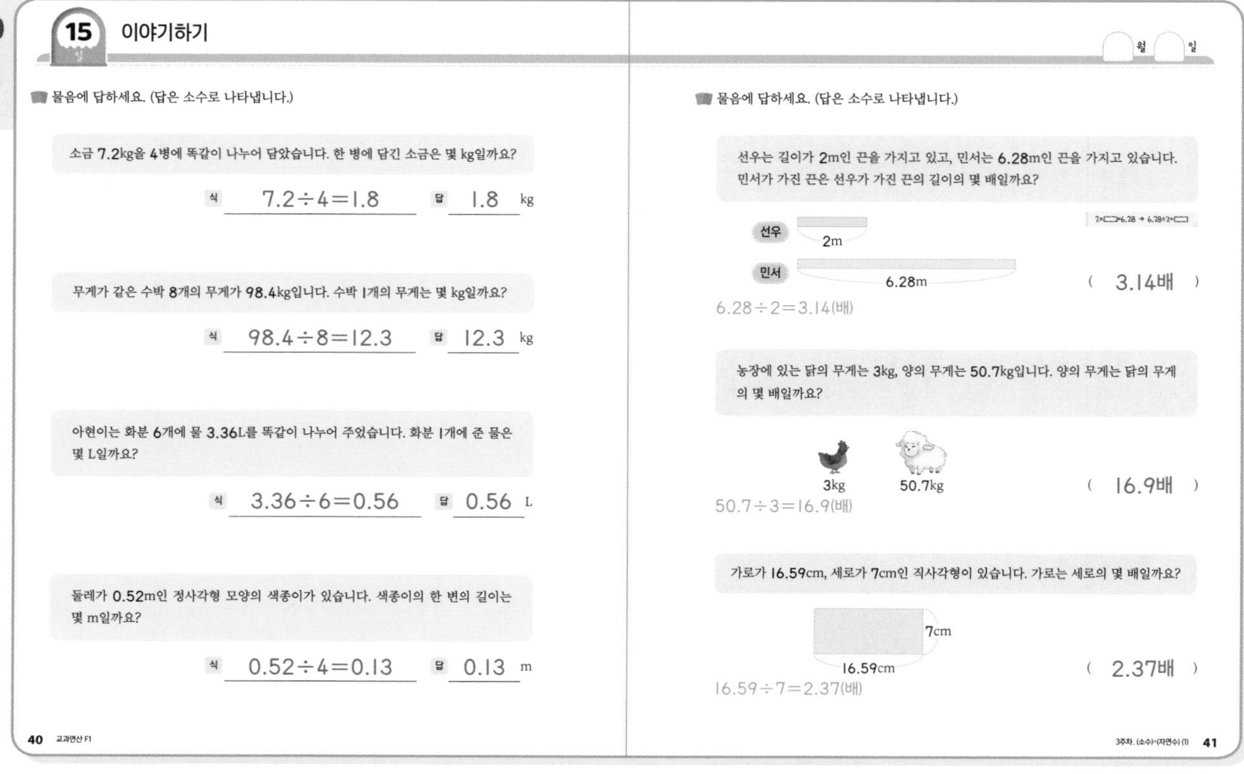

15 이야기하기

물음에 답하세요. (답은 소수로 나타냅니다.)

소금 7.2kg을 4병에 똑같이 나누어 담았습니다. 한 병에 담긴 소금은 몇 kg일까요?

식 $7.2 \div 4 = 1.8$ 답 1.8 kg

무게가 같은 수박 8개의 무게가 98.4kg입니다. 수박 1개의 무게는 몇 kg일까요?

식 $98.4 \div 8 = 12.3$ 답 12.3 kg

아현이는 화분 6개에 물 3.36L를 똑같이 나누어 주었습니다. 화분 1개에 준 물은 몇 L일까요?

식 $3.36 \div 6 = 0.56$ 답 0.56 L

둘레가 0.52m인 정사각형 모양의 색종이가 있습니다. 색종이의 한 변의 길이는 몇 m일까요?

식 $0.52 \div 4 = 0.13$ 답 0.13 m

40 교과연산 F1

월 일

물음에 답하세요. (답은 소수로 나타냅니다.)

선우는 길이가 2m인 끈을 가지고 있고, 민서는 6.28m인 끈을 가지고 있습니다. 민서가 가진 끈은 선우가 가진 끈의 길이의 몇 배일까요?

선우 2m
민서 6.28m

$6.28 \div 2 = 3.14$(배)

( 3.14배 )

농장에 있는 닭의 무게는 3kg, 양의 무게는 50.7kg입니다. 양의 무게는 닭의 무게의 몇 배일까요?

3kg 50.7kg

$50.7 \div 3 = 16.9$(배)

( 16.9배 )

가로가 16.59cm, 세로가 7cm인 직사각형이 있습니다. 가로는 세로의 몇 배일까요?

7cm
16.59cm

$16.59 \div 7 = 2.37$(배)

( 2.37배 )

3주차. (소수)÷(자연수) (1) 41

42쪽

물음에 답하세요. (답은 소수로 나타냅니다.)

은재는 가로가 3cm, 세로가 3cm인 정사각형을 그렸고, 시후는 가로가 4.8cm, 세로가 3cm인 직사각형을 그렸습니다. 시후가 그린 사각형의 넓이는 은재가 그린 사각형의 넓이의 몇 배일까요?

은재: 3×3
시후: 4.8×3

은재 3cm 3cm
시후 3cm 4.8cm

( 1.6배 )

은재가 그린 사각형의 넓이: $3 \times 3 = 9(cm^2)$
시후가 그린 사각형의 넓이: $4.8 \times 3 = 14.4(cm^2)$
$14.4 \div 9 = 1.6$(배)
*세로 길이가 같으므로 가로 길이만 비교해도 됩니다. $4.8 \div 3 = 1.6$(배)

밑변의 길이가 10.85cm, 높이가 2cm인 삼각형의 넓이는 밑변의 길이가 5cm, 높이가 2cm인 삼각형의 넓이의 몇 배일까요?

2cm 10.85cm
2cm 5cm

( 2.17배 )

왼쪽 삼각형의 넓이: $10.85 \times 2 \div 2 = 10.85(cm^2)$
오른쪽 삼각형의 넓이: $5 \times 2 \div 2 = 5(cm^2)$
$10.85 \div 5 = 2.17$(배)

42 교과연산 F1

**44·45쪽**

## 16 분수로 계산하기

월 일

■ 소수의 나눗셈을 분수의 나눗셈으로 바꾸어 계산해 보세요.

$4.5 \div 2 = \frac{45}{10} \div 2 = \frac{450}{100} \div 2 = \frac{450 \div 2}{100} = \frac{225}{100} = 2.25$

$3.16 \div 5 = \frac{316}{100} \div 5 = \frac{3160}{1000} \div 5 = \frac{3160 \div 5}{1000} = \frac{632}{1000} = 0.632$

$5.4 \div 4 = \frac{540}{100} \div 4 = \frac{540 \div 4}{100} = \frac{135}{100} = 1.35$

$0.4 \div 5 = = \frac{40}{100} \div 5 = \frac{40 \div 5}{100} = \frac{8}{100} = 0.08$

$8.44 \div 8 = \frac{8440}{1000} \div 8 = \frac{8440 \div 8}{1000} = \frac{1055}{1000} = 1.055$

**✱ 소수를 분수로 나타내기**

분모가 10, 100인 분수에서 분자가 자연수로 나누어떨어지지 않으면 분모가 100, 1000인 분수로 바꿉니다.

$\frac{37}{10} = \frac{370}{100}$ $\frac{4}{10} = \frac{40}{100}$ $\frac{512}{100} = \frac{5120}{1000}$ $\frac{42}{100} = \frac{420}{1000}$



■ 다음과 같이 소수의 나눗셈을 분수의 나눗셈으로 바꾸어 계산해 보세요.

$2.7 \div 6 = \frac{270}{100} \div 6 = \frac{270 \div 6}{100} = \frac{45}{100} = 0.45$

$0.9 \div 2 = \frac{90}{100} \div 2 = \frac{90 \div 2}{100} = \frac{45}{100} = 0.45$

$7.4 \div 4 = \frac{740}{100} \div 4 = \frac{740 \div 4}{100} = \frac{185}{100} = 1.85$

$6.02 \div 5 = \frac{6020}{1000} \div 5 = \frac{6020 \div 5}{1000} = \frac{1204}{1000} = 1.204$

$8.1 \div 2 = \frac{810}{100} \div 2 = \frac{810 \div 2}{100} = \frac{405}{100} = 4.05$

$6.15 \div 6 = \frac{6150}{1000} \div 6 = \frac{6150 \div 6}{1000} = \frac{1025}{1000} = 1.025$



**46·47쪽**

## 17 자연수로 계산하기

월 일

■ 자연수의 나눗셈을 이용하여 소수의 나눗셈을 계산해 보세요.

250 ÷ 2 = 125
$\frac{1}{100}$배 ↓ $\frac{1}{100}$배 ↓
2.5 ÷ 2 = 1.25

25÷2는 나누어떨어지지 않으므로 250÷2를 이용합니다.

570 ÷ 5 = 114
$\frac{1}{100}$배 ↓ $\frac{1}{100}$배 ↓
5.7 ÷ 5 = 1.14

450 ÷ 6 = 75
$\frac{1}{100}$배 ↓ $\frac{1}{100}$배 ↓
4.5 ÷ 6 = 0.75

180 ÷ 5 = 36
$\frac{1}{100}$배 ↓ $\frac{1}{100}$배 ↓
1.8 ÷ 5 = 0.36

30 ÷ 5 = 6
$\frac{1}{100}$배 ↓ $\frac{1}{100}$배 ↓
0.3 ÷ 5 = 0.06

540 ÷ 4 = 135
$\frac{1}{1000}$배 ↓ $\frac{1}{1000}$배 ↓
0.54 ÷ 4 = 0.135

820 ÷ 4 = 205
$\frac{1}{100}$배 ↓ $\frac{1}{100}$배 ↓
8.2 ÷ 4 = 2.05

8040 ÷ 8 = 1005
$\frac{1}{1000}$배 ↓ $\frac{1}{1000}$배 ↓
8.04 ÷ 8 = 1.005



■ 계산해 보세요. (몫은 소수로 나타냅니다.)

0.7 ÷ 2 = 0.35 2.8 ÷ 5 = 0.56

5.2 ÷ 8 = 0.65 0.6 ÷ 4 = 0.15

8.7 ÷ 6 = 1.45 4.6 ÷ 5 = 0.92

6.1 ÷ 2 = 3.05 8.2 ÷ 4 = 2.05

5.4 ÷ 5 = 1.08 0.3 ÷ 6 = 0.05

7.54 ÷ 4 = 1.885 0.96 ÷ 5 = 0.192

8.68 ÷ 8 = 1.085 0.15 ÷ 2 = 0.075

48 • 49 쪽

## 18 세로로 계산하기

계산해 보세요.

9.4÷4 = 2.35: 8, 14, 12, 20, 20, 0

4.3÷2 = 2.15: 4, 3, 2, 10, 10, 0

3.73÷5 = 0.746: 35, 23, 20, 30, 30, 0

6.6÷5 = 1.32: 5, 16, 15, 10, 10, 0

5.2÷8 = 0.65: 48, 40, 40, 0

2.55÷6 = 0.425: 24, 15, 12, 30, 30, 0

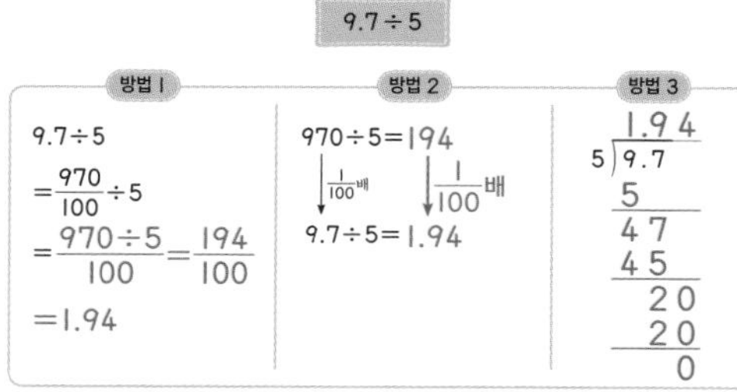

0을 내리는 나눗셈
자연수의 나눗셈과 같은 방법으로 계산하고, 나누어지는 수의 소수점 위치에 맞추어 몫에 소수점을 올려 찍습니다.
이때, 계산이 끝나지 않으면 0을 하나 더 내려 계산합니다.


계산해 보세요.

6.24÷3 = 2.08: 6, 24, 24, 0

7.35÷7 = 1.05: 7, 35, 35, 0

8.2÷4 = 2.05: 8, 20, 20, 0

9.72÷9 = 1.08: 9, 72, 72, 0

5.25÷5 = 1.05: 5, 25, 25, 0

8.1÷2 = 4.05: 8, 10, 10, 0

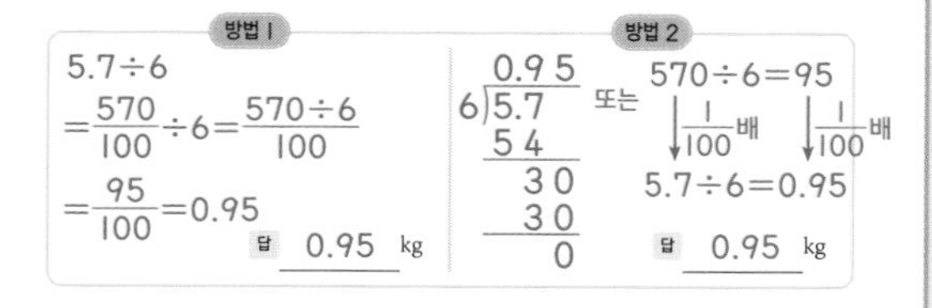

몫의 소수 첫째 자리가 0
계산하는 중에 나누어야 할 수가 나누는 수보다 작은 경우에는 몫에 0을 쓰고, 수를 하나 더 내려 계산합니다.





50 • 51 쪽

## 19 여러 가지 계산 방법

여러 가지 방법으로 계산해 보세요. (계산 결과는 소수로 나타냅니다.)

**9.7÷5**

방법 1
$9.7\div5 = \frac{970}{100}\div5 = \frac{970\div5}{100} = \frac{194}{100} = 1.94$

방법 2
$970\div5=194$ → $\frac{1}{100}$배, $\frac{1}{100}$배 → $9.7\div5=1.94$

방법 3
9.7÷5 = 1.94: 5, 47, 45, 20, 20, 0

① 분수의 나눗셈으로 바꾸어 계산하기
② 자연수의 나눗셈을 이용하여 계산하기
③ 세로로 계산하기

**4.36÷4**

방법 1
$4.36\div4 = \frac{436}{100}\div4 = \frac{436\div4}{100} = \frac{109}{100} = 1.09$

방법 2
$436\div4=109$ → $\frac{1}{100}$배, $\frac{1}{100}$배 → $4.36\div4=1.09$

방법 3
4.36÷4 = 1.09: 4, 36, 36, 0

물음에 답하세요. (계산 결과는 소수로 나타냅니다.)

쌀 5.7kg을 6개의 통에 똑같이 나누어 담았습니다. 한 통에 담긴 쌀은 몇 kg인지 두 가지 방법으로 구해 보세요.

방법 1
$5.7\div6 = \frac{570}{100}\div6 = \frac{570\div6}{100} = \frac{95}{100} = 0.95$
답 0.95 kg

방법 2
5.7÷6 = 0.95: 54, 30, 30, 0
또는 $570\div6=95$ → $\frac{1}{100}$배, $\frac{1}{100}$배 → $5.7\div6=0.95$
답 0.95 kg

넓이가 9.18 $m^2$인 화단을 똑같이 3부분으로 나누어 한 부분에 상추를 심었습니다. 상추를 심은 화단의 넓이는 몇 $m^2$인지 두 가지 방법으로 구해 보세요.

방법 1
$9.18\div3 = \frac{918}{100}\div3 = \frac{918\div3}{100} = \frac{306}{100} = 3.06$
답 3.06 $m^2$

방법 2
9.18÷3 = 3.06: 9, 18, 18, 0
또는 $918\div3=306$ → $\frac{1}{100}$배, $\frac{1}{100}$배 → $9.18\div3=3.06$
답 3.06 $m^2$

52·53쪽

## 20 이야기하기

물음에 답하세요. (답은 소수로 나타냅니다.)

두께가 모두 같은 책 5권을 쌓았더니 높이가 3.4cm입니다. 책 한 권의 두께는 몇 cm일까요?

식 3.4÷5=0.68 답 0.68 cm

고등어 한 손은 2마리입니다. 무게가 같은 고등어 한 손의 무게가 0.43kg이라면 고등어 한 마리의 무게는 몇 kg일까요?

식 0.43÷2=0.215 답 0.215 kg

직사각형 모양의 텃밭의 가로가 4.32m입니다. 텃밭의 가로가 세로의 4배라면 세로는 몇 m일까요?

식 4.32÷4=1.08 답 1.08 m

주스 3.6L를 8명이 똑같이 나누어 마시려고 합니다. 한 사람이 마실 수 있는 주스는 몇 L일까요?

식 3.6÷8=0.45 답 0.45 L



월 일

물음에 답하세요. (답은 소수로 나타냅니다.)

참외 2개의 무게는 0.64kg이고, 사과 6개의 무게는 2.1kg입니다. 참외와 사과 중 과일 하나 무게의 평균이 더 무거운 것은 무엇일까요?

참외: 0.64÷2=0.32(kg)
사과: 2.1÷6=0.35(kg)
( 사과 )

연재는 5걸음을 걸어서 2.3m를 갔고, 민호는 4걸음을 걸어서 1.8m를 갔습니다. 한 걸음 길이의 평균이 더 긴 사람은 누구일까요?

연재: 2.3÷5=0.46(m)
민호: 1.8÷4=0.45(m)
( 연재 )

길이가 3.12m인 노란색 끈은 똑같이 3도막으로 자르고, 7.56m인 파란색 끈은 똑같이 7도막으로 잘랐습니다. 한 도막의 길이가 더 긴 끈의 색깔은 무엇일까요?

노란색: 3.12÷3=1.04(m)
파란색: 7.56÷7=1.08(m)
( 파란색 )

정사각형의 둘레는 4.2m, 정오각형의 둘레는 5.3m입니다. 한 변의 길이가 더 긴 도형은 무엇일까요?

정사각형: 4.2÷4=1.05(m)
정오각형: 5.3÷5=1.06(m)
( 정오각형 )



54쪽

물음에 답하세요. (답은 소수로 나타냅니다.)

모든 모서리의 길이의 합이 9.9cm인 삼각뿔이 있습니다. 삼각뿔의 모든 모서리의 길이가 같다면 한 모서리의 길이는 몇 cm일까요?

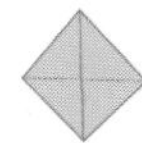

식 9.9÷6=1.65 답 1.65 cm

삼각뿔의 모서리는 6개입니다.

길이가 8.7m인 도로에 꽃 6송이를 같은 간격으로 심었습니다. 도로의 양끝에도 꽃을 심었다면 꽃 사이의 간격은 몇 m일까요?

8.7m

식 8.7÷5=1.74 답 1.74 m

꽃을 6송이 심으면 간격의 수는 5개입니다.

길이가 6.21m인 나무 판자를 같은 간격으로 2번 잘랐습니다. 잘린 한 도막의 길이는 몇 m일까요?

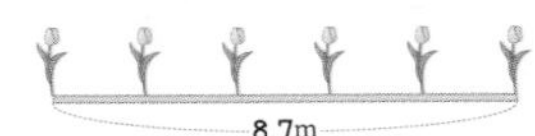


식 6.21÷3=2.07 답 2.07 m

나무 판자를 2번 잘랐으므로 3도막이 나옵니다.

# 정답

## 56 • 57쪽

### 21일 자연수로 나누기

빈칸에 알맞은 수를 써넣으세요.

6.08 →(÷2) 3.04 →(÷8) 0.38

17.52 →(÷4) 4.38 →(÷6) 0.73

19.04 →(÷7) 2.72 →(÷4) 0.68

9.2 →(÷5) 1.84 →(÷2) 0.92

8.7 →(÷6) 1.45 →(÷5) 0.29

9.24 →(÷3) 3.08 →(÷4) 0.77



월 일

빈칸에 알맞은 수를 써넣으세요.

| ÷ | | |
|---|---|---|
| 57.8 | 2 | 28.9 |
| 5.78 | 2 | 2.89 |

| ÷ | | |
|---|---|---|
| 31.5 | 7 | 4.5 |
| 3.15 | 7 | 0.45 |

| ÷ | | |
|---|---|---|
| 8.24 | 4 | 2.06 |
| 82.4 | 4 | 20.6 |

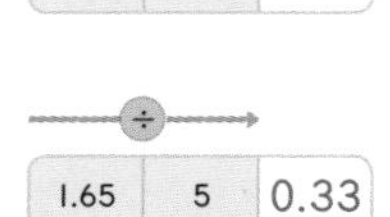

| ÷ | | |
|---|---|---|
| 1.65 | 5 | 0.33 |
| 16.5 | 5 | 3.3 |

| ÷ | | |
|---|---|---|
| 3.36 | 3 | 1.12 |
| 3.36 | 4 | 0.84 |

| ÷ | | |
|---|---|---|
| 2.52 | 2 | 1.26 |
| 2.52 | 3 | 0.84 |

| ÷ | | |
|---|---|---|
| 6.3 | 9 | 0.7 |
| 6.3 | 5 | 1.26 |

| ÷ | | |
|---|---|---|
| 7.44 | 8 | 0.93 |
| 7.44 | 6 | 1.24 |



## 58 • 59쪽

### 22일 바르게 계산하기

나눗셈식을 잘못 계산하였습니다. 바르게 계산해 보세요.

```
     1 2.7              1.2 7
  5)6.3 5            5)6.3 5
    5                  5
    1 3                1 3
    1 0                1 0
      3 5                3 5
      3 5                3 5
        0                  0
```

몫의 소수점 위치가 잘못되었습니다. 나누어지는 수의 소수점 위치에 맞추어 몫에 소수점을 올려 찍어야 합니다.

```
       7.2             0.7 2
  6)4.3 2            6)4.3 2
    4 2                4 2
      1 2                1 2
      1 2                1 2
        0                  0
```

```
     1.7               1.0 7
  7)7.4 9            7)7.4 9
    7                  7
      4 9                4 9
      4 9                4 9
        0                  0
```

나누어야 할 수가 나누는 수보다 작으면 몫에 0을 쓰고, 수를 하나 더 내려 계산합니다.



월 일

나눗셈식을 잘못 계산하였습니다. 바르게 계산해 보세요.

```
      3.9              0.3 9
  3)1.1 7            3)1.1 7
      9                  9
      2 7                2 7
      2 7                2 7
        0                  0
```

몫이 1보다 작으면 자연수 자리에 0을 씁니다.

```
    0.3 5                3.5
  4)1 4              4)1 4
    1 2                1 2
      2 0                2 0
      2 0                2 0
        0                  0
```

몫의 소수점은 자연수 바로 뒤에서 올려 찍습니다.

```
      7.5              0.7 5
  8)6                8)6
    5 6                5 6
      4 0                4 0
      4 0                4 0
        0                  0
```

**60·61쪽**

## 23 몫 어림하기 (1)

월 일

■ 빈칸에 알맞은 수를 써넣고, 소수점을 알맞은 위치에 찍어 보세요.

**11÷4**: 11÷4를 자연수 부분까지 계산하면 몫은 [2]이고, 나머지는 [3]이므로 11÷4의 몫은 2보다 큽니다. 따라서 11÷4=2⊡7□5입니다.

**76÷5**: 76÷5를 자연수 부분까지 계산하면 몫은 [15]이고, 나머지는 [1]이므로 76÷5의 몫은 [15]보다 큽니다. 따라서 76÷5=1□5⊡2입니다.

**9.84÷6**: 소수를 버림하여 일의 자리까지 나타내면 9÷6이고, 계산하면 몫은 [1], 나머지는 [3]이므로 9.84÷6의 몫은 [1]보다 큽니다. 따라서 9.84÷6=1⊡6□4입니다.

**83.6÷8**: 소수를 버림하여 일의 자리까지 나타내면 [83]÷8이고, 계산하면 몫은 [10], 나머지는 [3]이므로 83.6÷8의 몫은 [10]보다 큽니다. 따라서 83.6÷8=1□0⊡4□5입니다.

■ 빈칸에 알맞은 수를 써넣고, 소수점을 알맞은 위치에 찍어 보세요.

**8.75÷5**: 소수를 반올림하여 일의 자리까지 나타내면 [9]÷5이고, 바꾼 식의 몫을 어림하여 자연수로 나타내면 [2] (또는 1)이므로 8.75÷5=1⊡7□5입니다.

**29.4÷2**: 소수를 반올림하여 일의 자리까지 나타내면 [29]÷2이고, 바꾼 식의 몫을 어림하여 자연수로 나타내면 [15] (또는 14)이므로 29.4÷2=1□4⊡7입니다.

**7.32÷3**: 소수를 반올림하여 일의 자리까지 나타내면 [7]÷3이고, 바꾼 식의 몫을 어림하여 자연수로 나타내면 [2] (또는 3)이므로 7.32÷3=2⊡4□4입니다.

**21.72÷6**: 소수를 반올림하여 일의 자리까지 나타내면 [22]÷6이고, 바꾼 식의 몫을 어림하여 자연수로 나타내면 [4] (또는 3)이므로 21.72÷6=3⊡6□2입니다.





**62·63쪽**

## 24 몫 어림하기 (2)

월 일

■ 어림셈을 하여 알맞은 위치에 소수점을 찍어 보세요.

**7.38÷6** — 예 어림 [7]÷[6] ➡ 약 [1] / 몫 1⊡2□3

**57.2÷4** — 예 어림 [57]÷[4] ➡ 약 [14] / 몫 1□4⊡3

**2.85÷3** — 예 어림 [3]÷[3] ➡ 약 [1] / 몫 0⊡9□5

**30.9÷3** — 예 어림 [31]÷[3] ➡ 약 [10] / 몫 1□0⊡3

**81.2÷2** — 예 어림 [81]÷[2] ➡ 약 [40] / 몫 4□0⊡6

**16.64÷8** — 예 어림 [16]÷[8] ➡ 약 [2] / 몫 2⊡0□8

**32.6÷4** — 예 어림 [32]÷[4] ➡ 약 [8] / 몫 8⊡1□5

**98.6÷5** — 예 어림 [99]÷[5] ➡ 약 [20] / 몫 1□9⊡7□2

소수를 반올림 또는 버림하여 일의 자리까지 나타내어 어림할 수 있습니다.
또는 몫이 자연수가 되도록 소수를 크기가 비슷한 자연수로 바꾸어 어림할 수도 있습니다.

■ 몫을 어림하여 알맞은 위치에 소수점을 찍어 보세요.

17÷4=4⊡2□5

14÷8=1⊡7□5

63÷5=1□2⊡6

20.1÷5=4⊡0□2

4.74÷3=1⊡5□8

42.84÷7=6⊡1□2

5.52÷8=0⊡6□9

83.3÷7=1□1⊡9

10.5÷6=1⊡7□5

35.2÷5=7⊡0□4

31.52÷2=1□5⊡7□6

96.4÷8=1□2⊡0□5

9.51÷6=1⊡5□8□5

65.34÷3=2□1⊡7□8

64•65쪽

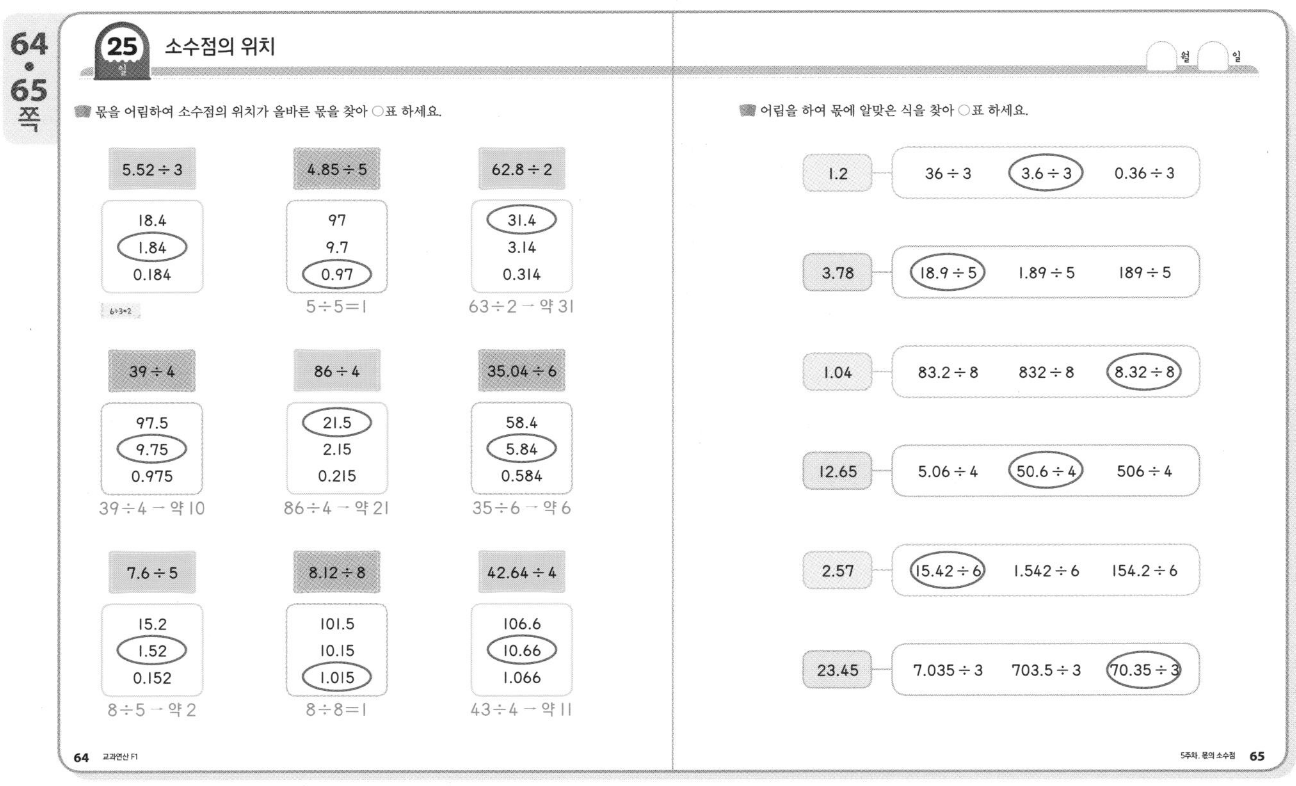

25 일 소수점의 위치

월 일

몫을 어림하여 소수점의 위치가 올바른 몫을 찾아 ○표 하세요.

| 5.52 ÷ 3 | 4.85 ÷ 5 | 62.8 ÷ 2 |
| --- | --- | --- |
| 18.4 / **(1.84)** / 0.184 | 97 / 9.7 / **(0.97)** | **(31.4)** / 3.14 / 0.314 |
| 6÷3=2 | 5÷5=1 | 63÷2 → 약 31 |

| 39 ÷ 4 | 86 ÷ 4 | 35.04 ÷ 6 |
| --- | --- | --- |
| 97.5 / **(9.75)** / 0.975 | **(21.5)** / 2.15 / 0.215 | 58.4 / **(5.84)** / 0.584 |
| 39÷4 → 약 10 | 86÷4 → 약 21 | 35÷6 → 약 6 |

| 7.6 ÷ 5 | 8.12 ÷ 8 | 42.64 ÷ 4 |
| --- | --- | --- |
| 15.2 / **(1.52)** / 0.152 | 101.5 / 10.15 / **(1.015)** | 106.6 / **(10.66)** / 1.066 |
| 8÷5 → 약 2 | 8÷8=1 | 43÷4 → 약 11 |

64 교과연산 F1

어림을 하여 몫에 알맞은 식을 찾아 ○표 하세요.

| 몫 | | | |
| --- | --- | --- | --- |
| 1.2 | 36 ÷ 3 | **(3.6 ÷ 3)** | 0.36 ÷ 3 |
| 3.78 | **(18.9 ÷ 5)** | 1.89 ÷ 5 | 189 ÷ 5 |
| 1.04 | 83.2 ÷ 8 | 832 ÷ 8 | **(8.32 ÷ 8)** |
| 12.65 | 5.06 ÷ 4 | **(50.6 ÷ 4)** | 506 ÷ 4 |
| 2.57 | **(15.42 ÷ 6)** | 1.542 ÷ 6 | 154.2 ÷ 6 |
| 23.45 | 7.035 ÷ 3 | 703.5 ÷ 3 | **(70.35 ÷ 3)** |

5주차. 몫의 소수점 65

66쪽

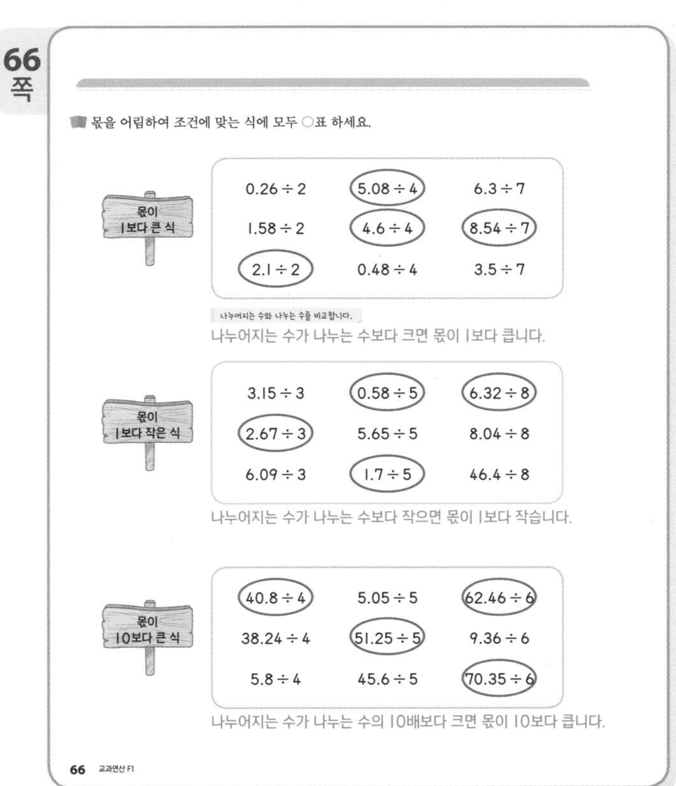

몫을 어림하여 조건에 맞는 식에 모두 ○표 하세요.

몫이 1보다 큰 식

| | | |
| --- | --- | --- |
| 0.26 ÷ 2 | **(5.08 ÷ 4)** | 6.3 ÷ 7 |
| 1.58 ÷ 2 | **(4.6 ÷ 4)** | **(8.54 ÷ 7)** |
| **(2.1 ÷ 2)** | 0.48 ÷ 4 | 3.5 ÷ 7 |

나누어지는 수와 나누는 수를 비교합니다.

나누어지는 수가 나누는 수보다 크면 몫이 1보다 큽니다.

몫이 1보다 작은 식

| | | |
| --- | --- | --- |
| 3.15 ÷ 3 | **(0.58 ÷ 5)** | **(6.32 ÷ 8)** |
| **(2.67 ÷ 3)** | 5.65 ÷ 5 | 8.04 ÷ 8 |
| 6.09 ÷ 3 | **(1.7 ÷ 5)** | 46.4 ÷ 8 |

나누어지는 수가 나누는 수보다 작으면 몫이 1보다 작습니다.

몫이 10보다 큰 식

| | | |
| --- | --- | --- |
| **(40.8 ÷ 4)** | 5.05 ÷ 5 | **(62.46 ÷ 6)** |
| 38.24 ÷ 4 | **(51.25 ÷ 5)** | 9.36 ÷ 6 |
| 5.8 ÷ 4 | 45.6 ÷ 5 | **(70.35 ÷ 6)** |

나누어지는 수가 나누는 수의 10배보다 크면 몫이 10보다 큽니다.

66 교과연산 F1